J'HAÏS LE HOCKEY

FRANÇOIS BARCELO

J'HAÏS LE HOCKEY

ROMAN

Nous remercions le Conseil des Arts du Canada de l'aide accordée à notre programme de publication, et la SODEC pour son appui financier en vertu du Programme d'aide aux entreprises du livre et de l'édition spécialisée.

Nous reconnaissons l'aide financière du gouvernement du Canada par l'entremise du Fonds du livre du Canada (FLC) pour nos activités d'édition.

Gouvernement du Québec – Programme de crédits d'impôt pour l'édition de livres – Gestion SODEC

Conception graphique de la couverture : Marc-Antoine Rousseau
Composition typographique : Nicolas Calvé
Conception du catalogue : Ghislaine Guérard
Révision linguistique : Luc Baranger
Correction d'épreuves : Maxime Catellier

© François Barcelo et Les 400 coups, 2011

Dépôt légal – 2e trimestre 2011
Bibliothèque et Archives nationales du Québec
Bibliothèque et Archives Canada

ISBN 978-2-89671-000-3

Catalogage avant publication de Bibliothèque et Archives nationales du Québec et Bibliothèque et Archives Canada

Barcelo, François, 1941-

    J'haïs le hockey
    ISBN 978-2-89671-000-3

I. Titre.

PS8553.A761J44 2011   C843'.54   C2011-940405-2
PS9553.A761J44 2011

1

J'HAÏS le hockey !

J'y ai joué juste assez pour savoir que je suis le plus nul des joueurs. Et j'en ai vu juste assez pour savoir que c'est le plus nul des sports.

J'aurais évidemment préféré que mon fils Jonathan ne participe jamais à ce que j'estime être la plus éclatante expression de notre débilité collective.

Mais Colombe, sa mère, est une mordue de hockey et a tenu à l'inscrire à l'aréna de Saint-Zéphyrin en catégorie novice dès qu'il a eu six ans. Elle l'a aussi équipé à grands frais. J'ai eu beau protester, c'était elle qui payait.

Cela fut-il un des facteurs de notre séparation, presque huit ans plus tard ? J'en suis convaincu, même si Colombe a plutôt invoqué pour me mettre à la porte le fait que je l'avais trompée avec sa comptable stagiaire dans le lit conjugal, pendant qu'elle était avec Jonathan et des amis à la Cage aux Sports de la ville voisine, justement pour m'épargner un méchant mardi Molson Ex à la télé familiale.

Voilà six mois que j'ai déménagé à Saint-Camille-de-Holstein, à douze kilomètres de Saint-Zéphyrin. C'est un village que vous connaissez presque. Il est derrière la vache géante en tôle, dressée sur une colline visible de l'autoroute. J'habite un trois pièces et quart misérable, au-dessus d'une station-service désaffectée. C'est le logement le moins cher des environs et il ajoute tous les jours à ma détestation du hockey.

Il est facile de deviner comment je vais réagir lorsqu'un homme me téléphone, un vendredi après-midi, et me supplie de devenir pour un soir l'entraîneur de l'équipe de hockey de mon fils. Il s'appelle Denis Beauchemin et est président de l'Association sportive de Saint-Zéphyrin, qui couvre aussi le territoire de Saint-Camille, mon nouveau village ayant trop peu de jeunes pour avoir une école, et à plus forte raison une équipe de hockey à lui tout seul. Je proteste, sans mentir :

— J'haïs le hockey. Y a même rien que j'haïs tant que ça.

— Écoutez, monsieur Vachon, nous sommes vraiment coincés. L'entraîneur est mort subitement, la nuit dernière.

Sans doute attend-il que je demande comment il est décédé, mais j'imagine aussitôt un entraîneur à gros ventre et petit fessier, buveur de bière et dévoreur de chips, saisi d'un infarctus devant son téléviseur alors qu'il regardait deux matchs de hockey simultanés, grâce à la magie de l'image dans l'image.

— Le règlement de la ligue exige un entraîneur adulte derrière le banc, enchaîne mon interlocuteur. Si l'équipe en a pas ce soir, ça va compter pour une défaite.

— Il y a sûrement d'autres parents qui pourraient prendre la relève. Demandez à ma femme. Elle adore le hockey. Et elle connaît ça sur le bout des doigts.

Il se met à rire grassement.

— La Régie régionale des sports a passé un nouveau règlement. Les instructeurs d'équipes non mixtes doivent être du même sexe que les joueurs. Ça a pour but d'avoir plus de femmes comme instructeurs. Et ça a marché pour la nage synchronisée. Mais on peut pas avoir de femmes au hockey, parce que les filles sont interdites dans les équipes de gars à partir de bantam.

J'avais six ans quand mon père, qui rêvait de me voir évoluer dans la Ligue nationale, m'a inscrit dans une équipe. En deux matchs seulement, mon absence de talent l'a convaincu de me retirer de l'équipe, sous prétexte que l'air confiné de l'aréna stimulait mes crises d'asthme.

Nos relations ont été gâchées à jamais. Il m'en a voulu de l'avoir fait renoncer à son ambition de devenir le père d'un hockeyeur célèbre. N'empêche que mon asthme a disparu presque aussitôt pour ne jamais revenir.

J'ai continué à détester le hockey pendant les trente-trois années suivantes. Il m'est souvent arrivé de voir quelques minutes d'un match, supplice inévitable si on a le malheur d'habiter au Québec. Surtout pendant les quinze années que j'ai vécu avec Colombe. Elle raffolait de hockey et ne manquait jamais les Canadiens à la télévision. J'en profitais pour prendre un verre dans le bar le plus proche. Il y avait une télé géante, il suffisait de lui tourner le dos et de demander qu'on baisse le volume.

Mais jamais je n'ai trouvé ce jeu aussi insupportable que la soirée que j'ai passée avec mon fils dans cette prétendue Mecque du hockey qu'est le Centre Bell, à Montréal.

J'avais reçu deux billets, cadeaux de mon patron de l'époque, prospère concessionnaire de General Motors. Quatre mois de suite, j'avais vendu plus de Saturn que n'importe quel autre vendeur de notre région. Comme il avait des billets de saison pour les matchs des Canadiens, il s'est senti obligé de m'en offrir une paire, un soir où le Wild du Minnesota jouait à Montréal, et il n'avait sans doute aucune envie de se farcir soixante-cinq kilomètres aller-retour pour voir ça.

J'ai offert les billets à Colombe, en pensant qu'elle irait avec notre fils Jonathan, qui donnait justement cette année-là ses premiers coups de patins dans l'équipe novice de notre petite ville de Saint-Zéphyrin. Mais Colombe a protesté : c'était une étape incontournable dans l'évolution des relations entre un père et son fils. J'ai cédé. Et je l'ai regretté dès que j'ai mis le pied dans cette auguste enceinte.

Le match a été totalement dépourvu d'intérêt. Trop peu de buts à mon goût, comme presque toujours au hockey. Ça s'est terminé par le compte de deux à un, pour le Wild par-dessus le marché. De plus, je ne m'attendais pas que ce sport ait pu atteindre un tel degré de mercantilisme tape-à-l'œil et tapageur.

Des messages publicitaires circulaient bruyamment, à une vitesse folle, sur des bandes vidéo au-dessus de nos têtes, tout autour de l'aréna. Le niveau sonore de la charge des trompettes préenregistrées était intolérable, comme si les cris de la foule étaient insuffisants pour encourager les joueurs. Les haut-parleurs diffusaient aussi des bouts de chansons dont le lien avec le spectacle m'échappait totalement. Le comble : le jeu s'interrompait pendant les pauses commerciales de la télévision, mais on nous assommait alors, par tous les écrans visibles et tous les amplificateurs audibles, de publicités tonitruantes s'adressant uniquement à nous, pauvres spectateurs ahuris.

J'étais désolé d'exposer mon fils de six ans à de tels abus de marketing. D'autant plus que j'avais juré à Colombe que je ne boirais pas une seule bière. Et Jonathan avait promis à sa mère qu'il me dénoncerait si je trichais. Mais il a été enchanté de sa soirée et n'a fait aucune mention des trois bières que je me suis offertes, au prix d'une caisse de vingt-quatre chez un dépanneur.

— Et mon fils, je gage qu'il joue bantam ?

— On peut rien vous cacher.

Le président de l'Association sportive de Saint-Zéphyrin dit ça sur un ton à faire honte à tout père qui ne sait même pas à quel niveau son fils évolue, si on peut parler d'évolution en matière de hockey sur glace. Il poursuit, avant que j'aie le temps de trouver un autre argument pour me défiler :

— À Saint-Zéphyrin, la moitié des joueurs sont vietnamiens. Leurs parents n'ont aucune idée de ce qu'est le hockey. J'ai bien réussi à parler à deux pères pure laine, mais le vendredi soir ils travaillent jusqu'à six heures, à l'aciérie. Et l'autobus doit partir à quatre heures parce que le match est à huit heures, à Morinville. À trente-six dollars de l'heure, ils vont pas partir plus tôt. On a aussi un policier, mais il fait du temps supplémentaire, ce soir. À plus que trente-six de l'heure, je gage. Les autres parents, c'est des mères monoparentales. Vous êtes ma dernière chance. Justement, Jonathan m'a dit que vous êtes entre deux emplois.

Jonathan n'a pas tout à fait menti. J'ai perdu mon emploi quand General Motors a décidé de se délester de la marque Saturn. Mon patron, Gaston Germain, m'avait promis que je passerais à Pontiac si jamais ça arrivait, parce que la rumeur courait depuis longtemps. Saturn, c'était la marque préférée des infirmières et des enseignants à la retraite, et il n'y avait que moi, avec mon bac en communication, à pouvoir, justement, communiquer avec eux alors que j'étais nul pour vendre des camionnettes aux agriculteurs et aux employés de l'aciérie. Gaston Germain m'avait promis qu'après la Saturn, je vendrais des Pontiac. Mais GM a aussi fait disparaître les Pontiac. Le comble : ils ont annoncé la fermeture pure et simple de plusieurs concessions deux jours après mon congédiement. J'ai fait le tour de tous les concession-

naires de toutes les marques, jusqu'à Montréal, mais
personne n'embauche. Oui, j'ai dit à mon fils que je
suis entre deux emplois. Mais ce ne serait totalement
vrai que s'il y en avait un autre en perspective.

Je proteste encore, en espérant que mes réticences
forceront mon interlocuteur à offrir de me payer pour
cette soirée de travail :

— Mais j'y connais rien, au hockey. Les changements de lignes, par exemple, les règlements, tout ça,
vraiment...

— Aucune importance. Vous avez la meilleure
équipe de la ligue. Les gars connaissent les règlements
mieux que les arbitres. Et vous avez un assistant pour
s'occuper des changements de lignes. Il a tout ça sur
des fiches. Vous avez rien qu'à rester debout derrière
le banc. Si vous avez une cravate, c'est encore mieux,
mais si vous en avez pas, c'est pas obligé.

— Pourquoi votre assistant le fait pas, l'instructeur,
lui ?

— Il est aphasique. Puis il a pas une tête d'instructeur.

Je pourrais protester qu'il n'a jamais vu ma tête à
moi. Mais j'ai une meilleure idée :

— Pourquoi vous y allez pas, vous ?

— Je suis en fauteuil roulant et notre autobus est
pas équipé pour me transporter.

C'est une excuse imparable. Je bredouille :

— Excusez-moi, je savais pas...

— Écoutez, vous avez rien qu'à garder les bras
croisés pendant toute la partie, si vous voulez. Mâchez
de la gomme, ça paraît mieux. Ayez juste l'air de

mauvaise humeur chaque fois que l'arbitre rend une décision. Pour le reste, nos gars savent quoi faire.

Je cherche encore un moyen de m'en tirer. S'il est en fauteuil roulant, il ne peut pas venir me chercher. Je regarde ma montre : quatre heures moins quart. J'essaye :

— Je voudrais bien, mais j'ai déménagé à Saint-Camille depuis quelques mois. Et j'ai pas d'auto. Je vois pas comment je pourrais me rendre à Saint-Zéphyrin pour quatre heures.

À peine ces mots prononcés, je me rends compte que c'est un raisonnement ridicule. Il peut me dire de prendre un taxi, qu'on me paiera à l'arrivée. Ou envoyer quelqu'un me chercher. Mais il a encore mieux, comme réponse :

— Regardez dehors.

Je m'approche de la fenêtre : un autobus scolaire jaune est garé devant les pompes qui n'attirent d'ordinaire que les gens qui viennent de trop loin pour savoir que le garage est fermé depuis longtemps.

— L'autobus vous attend. Si vous avez des problèmes, téléphonez-moi.

Il me donne deux numéros de téléphone, un fixe et un cellulaire.

Je me dépêche à mettre une cravate et j'enfile mon veston. Pas besoin de manteau : on est à la fin d'octobre, mais c'est l'été des Indiens. Je descends l'escalier.

La porte de l'autobus s'ouvre devant moi. Je monte. Un homme d'une trentaine d'années est assis au volant. C'est mon assistant d'un soir. Je comprends pourquoi il ne sera jamais instructeur. Il a une tête vaguement trisomique, avec des lunettes en fonds de bouteilles. Il m'adresse un sourire plus croche qu'une grimace. Je dis bonjour, en m'efforçant de le regarder comme s'il était parfaitement normal. Je jette ensuite un coup d'œil à mon équipe : une vingtaine de garçons occupent les banquettes. Mon Jonathan est là, au troisième rang. Il détourne les yeux et je devine qu'il n'a pas envie qu'on sache que je suis son père. Avoir comme instructeur un père qui ne connaît rien au hockey, c'est sans doute la catastrophe la plus honteuse qui puisse s'abattre sur un garçon de quatorze ans.

Le conducteur ouvre la bouche et annonce :

— C'est...

Puis il se tait. Mon assistant s'efforce de dire quelque chose. Ce pourrait être « Ses... » ou le début de n'importe quel mot qui commence pas le son *sé*. Il veut sans doute me présenter. J'enchaîne aussitôt, puisque le mari de ma cousine Julie qui a subi un AVC l'an dernier m'a appris que c'est la chose à faire en présence d'un aphasique :

— C'est moi votre nouvel instructeur. Je m'appelle Antoine...

Je vois Jonathan dans le coin de mon œil. Il fait toujours semblant de ne pas me connaître. Je retiens juste à temps mon nom de famille. J'ajoute même, bien que je déteste ce surnom que m'a donné Gaston Germain, mais avec les jeunes il est bon d'être le plus familier possible :

— Vous pouvez m'appeler Tony.

Mon équipe ne réagit d'aucune manière. Je n'ai d'ailleurs aucune raison d'imaginer qu'on pourrait m'accueillir avec enthousiasme. Si ces jeunes forment une bonne équipe, leur entraîneur décédé y était sûrement pour quelque chose. Je suppose qu'il était leur idole. Le profiteur qui accepte de le remplacer ne peut être que le pire des salauds. Qu'il ne soit pas payé ne change rien à l'affaire : je suis à leurs yeux un abominable voleur de job.

Je m'avance entre les banquettes pour aller m'asseoir à l'arrière, sans même un signe de tête pour Jonathan qui fait toujours semblant de m'ignorer, tandis que le garçon assis à côté de lui m'adresse un sourire timide. Il est asiatique, comme la moitié de l'équipe.

Il faut savoir qu'une famille vietnamienne est venue s'installer à Saint-Zéphyrin il y a plus de trente ans, lorsque les fermes et les commerces ont commencé à être désertés parce que les fils des fermiers et des commerçants sont allés étudier à Montréal pour devenir médecins, profs ou policiers. Ces *boat people* ont ouvert un restaurant. Le fils aîné a acheté une ferme où il cultive toujours du bok choy et une variété de légumes exotiques que je serais incapable d'identifier. D'autres Vietnamiens — frères et sœurs, cousins et cousines ou vague parenté originaire du même village — ont suivi, ont propagé la culture maraîchère orientale et ouvert des restaurants vietnamiens, cambodgiens, sichuanais ou, plus récemment, thaïlandais parce que la cuisine thaïlandaise est plus chère, même quand ce sont des Vietnamiens qui la préparent. Ils se sont, plus récemment, lancés avec succès dans les sushis, profitant encore du fait que les Québécois sont incapables de distinguer un Indochinois d'un Japonais. C'en est rendu que Saint-Zéphyrin se qualifie maintenant, sur un grand panneau que vous pouvez voir à l'entrée de la ville, de « capitale québécoise de la cuisine exotique ».

Ces gens-là ont fait plus d'enfants que nous et, grâce à la loi 101, les petits Vietnamiens, puis leurs enfants se sont parfaitement intégrés, au point que je déteste encore plus le hockey, maintenant que ce sont des étrangers — qu'ils soient venus d'ailleurs, ou nés ici — qui dominent nos équipes locales. Mais ne le dites à personne. Ma xénophobie n'est, finalement, qu'un péché véniel à côté de ma détestation du hockey.

L'autobus se met en marche, tourne sur le chemin de Saint-Zéphyrin, puis prend l'autoroute en direction est.

Quand j'étais jeune, si nous étions une vingtaine de copains dans un autobus, nous adorions chanter en chœur. Et pas seulement « Conducteur-e, conducteur-e, dormez-vous ? ». Nous aimions surtout les chansons grivoises, comme « Ma grand-mère est morte, savez-vous comment ? » Mais mon équipe n'a pas le cœur à chanter ni à parler. Peut-être leur instructeur décédé leur interdisait-il les deux ?

Qu'est-ce que je fais, pendant ces trois heures de route ? Je ne connais rien de mes joueurs. Je devrais me renseigner sur eux. Dès que l'autoroute file assez droit pour que je ne risque pas de distraire mon chauffeur, je me lève pour aller lui parler :

— Beauchemin m'a dit qu'on a des fiches sur les joueurs ?

— Voi...

Voilà les fiches, tirées de sa poche de chemise. Je
retourne à ma place. Il y a cinq fiches. Trois de lignes
de joueurs d'avant (ce n'est pas précisé, mais je le
devine parce que chacune compte trois joueurs ; je
ne suis pas nul en hockey au point de ne pas savoir
ça). Et deux, de deux défenseurs chacune. Chaque
fiche a un numéro — de un à trois pour les attaquants,
quatre et cinq pour les défenseurs. Il n'y en a pas pour
le gardien. Si je comprends bien, celui-là va jouer tout
le temps.

Pour m'occuper, j'essaie de mémoriser les noms.
Première fiche : K. Nguyen, Groleau, Latendresse-
Provençal. Deuxième : Tremblay-Giroux, G. Nguyen,
S. Nguyen. Et ainsi de suite. Après une demi-heure,
je peux réciter chaque fiche par cœur sans la regarder.
Par exemple, ligne numéro trois : L'Heureux,
R. Nguyen, Nguyen-Tremblay.

Je suis prêt.

En fait, je ne le suis pas du tout. Mais au moins je
connais le nom de mes joueurs et dans quelle ligne
chacun évolue. Tremblay-Giroux ? Ligne deux, ailier
gauche, les noms sont sûrement inscrits dans l'ordre
logique : ailier gauche, centre, ailier droit.

Vous ne pouvez pas dire que je ne prends pas mon
rôle au sérieux. Mon fils joue au centre du premier trio,
vous l'avez constaté, si je n'ai pas oublié de vous révéler
que je m'appelle Antoine Groleau. Et je parie que le
garçon qui est assis à côté de lui est sur la même ligne
d'attaque. À droite ou à gauche ? À gauche, je dirais,
parce que ses yeux bridés lui donnent plus de chances

de s'appeler Nguyen que Latendresse-Provençal. Mais ses yeux ne sont pas très, très bridés : eurasien ou plutôt québécasien. Les gars de Saint-Zéphyrin sont bien obligés d'épouser des Vietnamiennes, s'ils veulent se marier. Nos filles préfèrent aller travailler au salaire minimum à Montréal plutôt que de devenir esclaves de deux cents vaches ou d'épouser un ouvrier d'aciérie qui rentre à la maison avec les mains crasseuses.

2

TROIS HEURES plus tard et deux cent trente kilomètres plus loin, nous voilà devant l'aréna Jean-Dicaire de Morinville. Je suppose qu'un Jean Dicaire a déjà joué dans la Ligue nationale de hockey et qu'il est originaire d'ici.

Assis au fond, j'attends mon tour de descendre, épaté de la discipline de mes troupes qui sortent du bus de façon aussi ordonnée que les passagers d'un Airbus débarquant à Fort Lauderdale.

Je les suis jusqu'à l'arrière du véhicule. Chacun prend son sac d'équipement, qui porte le logo Meteor. Est-ce la marque de commerce d'un fabricant de sacs de toile, ou le nom de l'équipe : les Météors de Saint-Zéphyrin ? Je n'ose pas le demander, parce qu'il est impensable qu'un entraîneur ne connaisse pas le nom de son équipe. J'aurais dû le demander à Beauchemin. Trop tard. Si le nom a plus d'une syllabe, mon assistant n'arrivera jamais à le prononcer dans des délais raison-nables. Pas question de laisser voir à mes joueurs que j'ignore encore le nom de leur équipe — de mon équipe. Je le saurai en voyant les chandails.

Tout le monde a son sac, sauf moi qui ai seulement un paquet de fiches dans une poche de mon veston. Et nous suivons notre chauffeur dans l'aréna. Il prend le couloir de droite, pousse une porte marquée Visiteurs et nous entrons dans notre chez-nous d'un soir.

J'admire une fois de plus la discipline de mes joueurs. Leur instructeur décédé devait être un maniaque de la loi et de l'ordre. Probablement un poli-cier ou un militaire à la retraite. Ils se déshabillent en silence. Une fois en sous-vêtements, ils vont dans les cabines de douche, puis reviennent après avoir enfilé leur culotte sous laquelle ils ont évidemment placé leur coquille protectrice. Je ne pensais pas que les ados de cet âge étaient si pudiques, mais je me souviens que mon Jonathan est comme ça, les week-ends qu'il est chez moi : je ne l'ai pas vu nu depuis au moins trois ou quatre ans.

Ils sont enfin prêts, casqués, gantés, armés de leurs patins et de leur bâton. Il n'y a que moi à ne pas être préparé. Dans le bus, je me suis longuement demandé ce que j'allais leur dire, et j'en suis arrivé à la conclusion que je ne dirai rien. Si j'ouvre la bouche, quels que soient mes propos, ils vont deviner que je ne connais rien au hockey. De toute façon, ils ne me regardent pas dans les yeux et semblent n'attendre rien de moi. Ils avaient peut-être un entraîneur silencieux.

Un timbre, soigneusement choisi parmi les plus désagréables qu'on puisse imaginer, se fait longuement entendre. Mes joueurs comprennent, plusieurs secondes avant moi, que c'est le temps de se rendre sur la patinoire et non de fuir un incendie. Ils se lèvent, se mettent en file. Le chauffeur-assistant ouvre la porte. Ils sortent. Je les suis.

L'autre équipe a déjà commencé ses exercices d'échauffement sur la patinoire. Ils ont le nom de leur équipe inscrit en gros à l'avant de leurs chandails : Huards. Avec la silhouette de cette espèce de canard au milieu d'un cercle de couleur bronze qui rappelle effectivement la pièce d'un dollar du Canada. Comble d'horreur : des spectateurs soufflent dans une espèce de trompette dont le cri rappelle la plainte lancinante de cet oiseau.

Nom et logo archinuls, si vous voulez mon avis. Mais au moins ils ont un nom. Alors que les miens n'ont qu'une lettre à l'avant de leur chandail : Z. Pour Zénith, Zigotos, Zéphyrs ? J'ai peine à croire qu'on ait pu baptiser mon équipe les Zéphyrs de Saint-Zéphyrin. C'est encore plus nul que les Huards de Morinville.

Et notre chandail est affreux, si vous voulez encore mon avis. C'est même la première fois que je vois un uniforme noir et blanc. Comme s'il avait été dessiné avant l'invention de la télévision en couleur. Avec des lignes un peu croches et dans tous les sens. Ça ressemble à des éclairs blancs sur fond noir. S'il n'y avait pas le Z, je parierais sur les Éclairs de Saint-

Zéphyrin. Pourquoi pas les Zéclairs ? Non, ce serait trop drôle. L'humour et le hockey n'ont jamais fait bon ménage.

En tout cas, je suis probablement le premier instructeur de l'histoire de l'humanité, tous sports confondus, à commencer un match sans connaître le nom de son équipe.

Je me rends compte qu'il y a pire encore, quand mes joueurs reviennent s'installer sur le banc après s'être échauffés sur la patinoire. Car je prends conscience d'un autre élément catastrophique : ils n'ont pas leur nom inscrit dans le dos de leur uniforme, comme les joueurs professionnels. Impossible de savoir qui est qui.

Me voilà instructeur d'une équipe dont je ne connais pas le nom, avec des joueurs que je suis incapable d'identifier (sauf pour mon fils, mais lorsqu'il est sur la patinoire j'ai du mal à le reconnaître, avec son visage caché par le casque et la visière).

Tout cela ne serait pas bien grave si je n'étais pas, en plus, aussi ignorant du hockey.

Je sais qu'il y a deux équipes, trois périodes de trente minutes, que les buts se marquent en envoyant la rondelle dans le filet des adversaires. Mais pour le reste, je suis nul. À quoi servent les deux lignes bleues et la ligne rouge ? Ça a un rapport avec les hors-jeu, mais j'ignore lequel.

Je n'ai pas le choix : je vais jouer à l'instructeur calme et réservé, qui reste debout derrière le banc de ses joueurs, avec un sourire ironique, en se triturant le menton. Si j'avais de la gomme, ce serait mieux. Si je

dirige un autre match, j'en achèterai. Et je demanderai
à Beauchemin de me la rembourser.

Mon adjoint toujours anonyme m'a repris sa série
de fiches. Il brandit la fiche 1 et la 4, et cinq joueurs
(dont Jonathan) s'élancent sur la glace.

Si Jonathan joue au centre dans la ligne numéro un,
c'est sûrement qu'il est un des meilleurs. K. Nguyen
aussi, l'ailier gauche, et Provençal-Latendresse, le droit.
Finalement, avoir appris par cœur le nom des joueurs
de chaque ligne ne m'est pas totalement inutile.

Sauf que si ces trois joueurs-là sont mes meilleurs
avants, nous allons manger une sacrée raclée. Ils pati-
nent sans ardeur, se laissent foncer dessus par les
Huards qui les aplatissent impitoyablement dans les
bandes. Ils ne répliquent même pas. La deuxième
ligne ne joue pas mieux. Ni la troisième. J'ai les
joueurs les plus nuls de la planète. Ou bien c'est l'autre
équipe qui travaille fort. Oui, c'est ça : les Huards,
stimulés par l'assistance partisane formée d'une
cinquantaine de parents, d'oncles et d'inconnus
désœuvrés, mais tous des environs de Morinville, font
de leur mieux, même si on les devine maladroits.
Heureusement, ils sont incapables de viser dans les
buts, alors que notre gardien ne fait aucun effort pour
arrêter la rondelle, ce qui n'a pas de conséquence
grave puisqu'elle est toujours tirée hors cible.

Sauf une fois : un garçon nommé Dubois (ai-je dit
que les Huards ont leur nom dans le dos ?) déjoue mon
Jonathan et notre K. Nguyen, puis se faufile aisément
entre nos deux défenseurs et décoche un tir anémique,
qui passe entre les patins de notre gardien, même pas

foutu de garder la palette de son bâton sur la glace, là où elle a pourtant le plus de chance d'être utile. Cela déclenche un concert de vuvuzelas morinvilloises.

Mon équipe joue si mal que je commence à me prendre pour un grand connaisseur de hockey. Après quelques minutes de jeu, j'ai identifié tous leurs défauts : nonchalance, paresse, lenteur, mauvais contrôle de la rondelle, nullité dans le repli défensif et contre-attaque inexistante. Même l'échec avant, que je serais incapable de définir, est une notion qui semble leur être encore plus étrangère qu'à moi.

La sirène retentit enfin. Au moins, la première demi-heure a passé vite. Un à zéro pour les Huards. Un coup d'œil au tableau indicateur me le confirme. Malheureusement, ce tableau nous présente simplement comme les Visiteurs, ce qui ne me renseigne toujours pas sur le nom de notre équipe.

Nous retraitons tous dans le vestiaire desdits Visiteurs. Et je vais vous dire ce qui me fait le plus enrager, bien que je me fiche totalement du résultat de ce match d'un sport que je déteste : mes joueurs ne sont pas furieux. Ils n'ont aucun des gestes des professionnels qui savent qu'ils ont mal joué, surtout quand une caméra les regarde : sales gueules, coups de bâton sur la glace ou sur les bandes. Même pas d'équipement lancé rageusement dans tous les coins du vestiaire. Mes joueurs n'ont l'air ni heureux ni malheureux. C'est pire : ils sont indifférents.

Ils s'assoient en silence. Je passe quelques minutes à me demander comment je vais les stimuler. Parce

que je dois avouer — même si vous aurez du mal à
le croire — que j'ai envie qu'ils gagnent. Pourquoi ?
Difficile à dire. Peut-être parce qu'ils sont devenus,
que ça leur plaise ou non, mes joueurs. Ça a beau
n'être que pour un soir, c'est mon équipe à moi. Que
je me souvienne, c'est la toute première fois que
l'esprit d'équipe m'envahit. Il est vrai que c'est la
première fois, depuis l'âge de six ans, que je fais partie
d'une équipe, si on peut considérer l'entraîneur
comme un des coéquipiers.

Mais ce soir un invalide m'a confié ces garçons.
Pour eux, le sport est important. C'est peut-être le
hockey qui va les empêcher de devenir délinquants
ou décrocheurs. J'ai beau détester ce sport, je parie
que c'est lui qui les oblige à faire des efforts à l'école,
s'ils ne veulent pas être exclus de l'équipe. Le prin-
temps dernier, un dimanche que je lui offrais d'aller
faire un tour de vélo, Jonathan a refusé et m'a
dit que s'il n'a pas de bonnes notes, le hockey sera
fini pour lui. Je me sens responsable d'eux. Pas
seulement de Jonathan. De cette vingtaine de garçons
à qui je devrais rappeler que les devoirs et les études,
c'est bien joli, mais que le sport est une école de
vie plus efficace encore même si je n'en crois pas
un mot.

Je sens que la sonnerie va les renvoyer bientôt sur
la glace. Je me lève, me place devant la porte pour les
empêcher de sortir si je n'ai pas le temps de terminer
mon laïus :

— Écoutez, les gars, j'ai pas eu la chance de connaître votre instructeur...

J'ai un moment d'hésitation, parce que je devrais dire son nom, ou à tout le moins son prénom au début de la phrase suivante. Mais je ne connais ni l'un ni l'autre. Tant pis.

— C'était un homme compétent et exigeant, qui savait tirer le meilleur de chacun de vous. Et je pense que vous devez absolument gagner cette partie pour lui rendre hommage. Il ne mérite rien de moins.

J'ai de la chance : le timbre de la sonnerie — qui rappelle lui aussi l'insupportable cri du huard à la recherche d'une femelle — interrompt mon discours auquel je ne savais plus quoi ajouter.

Les garçons se redressent. Je m'écarte et ils passent devant moi, gravement. Ils ont compris, j'en suis sûr.

Je suis le diplômé en communication le plus nul en discours de motivation, parce que mes joueurs n'ont rien compris de ce que j'attendais d'eux. Je voulais qu'ils jouent au moins avec intensité et élégance. Il est vrai que je ne leur ai pas demandé ça clairement. Mais j'étais sûr qu'ils comprendraient. Jouer au hockey sans intensité ni élégance, c'est jouer comme un pied, cela me semble évident.

Eh bien, ils se mettent plutôt à jouer brutalement. Pourquoi ? Ce n'est pas moi qui leur ai demandé, pourtant.

Ils s'efforcent d'écraser contre la bande tous les joueurs adverses, surtout les plus petits. Ils doivent le faire en toute légalité, puisque l'arbitre ne leur distribue que quatre pénalités. Mais cela suffit à l'équipe adverse pour marquer encore deux buts.

Alors qu'il ne reste plus que quelques minutes à la période (je viens d'apprendre qu'il n'y en a que vingt en tout, et ne m'en plaindrai pas), les Huards, raisonnablement excédés par le comportement de nos joueurs, encouragés par une foule vociférante et confiants de remporter la partie quoi qu'il arrive, se mettent à les imiter. Eux aussi frappent. En toute impunité, parce que le grand dadais d'arbitre ne réagit pas. Il y a des pénalités décernées à mes joueurs pour des gestes qui me semblent anodins, comme faire trébucher un adversaire sans faire exprès, alors que d'autres actions plus violentes des Huards, comme écraser un de mes petits gars violemment contre la bande, demeurent impunis.

L'un d'entre eux — Gervais, selon le nom écrit dans son dos — passe son bâton par derrière entre les jambes de notre K. Nguyen et l'expédie par-dessus la bande. Notre Jonathan se précipite sur leur Gervais et lui lance un coup de poing à la figure. Je serais fier de lui si un coup de poing garni d'un gant de hockey bien rembourré et asséné dans une visière à l'épreuve des chocs pouvait avoir un effet dissuasif sur un adversaire brutal.

Les deux garçons ont deviné ma pensée, parce qu'ils laissent tomber bâton et gants, lancent leur casque sur la glace, dressent les poings et s'apprêtent à s'affronter dans un véritable combat de boxe.

La tête de K. Nguyen réapparaît au-dessus de la bande, souriant pour montrer qu'il n'a pas été blessé. Mais il est trop tard. Tous mes joueurs sur la patinoire se sont lancés à l'assaut des joueurs adverses.

Ça suffit. Si je ne peux pas empêcher mon équipe de perdre, je ne vais pas la laisser se conduire comme une bande de sagouins. Je saute sur la glace.

Mais j'ai mes souliers de vendeur de Saturn. De fines chaussures italiennes fabriquées en Chine et pourvues de semelles en cuir lisse. Je glisse et tombe sur le derrière, ce qui fait rigoler la foule. Heureusement, je suis près de la rampe et je m'y agrippe après m'être relevé. J'appelle mes joueurs :

— Revenez, revenez au banc !

Mais personne ne m'entend, parce que la foule hurle de plaisir. Et je la fais rigoler encore plus fort en tombant une autre fois. Vous essaierez de marcher avec des semelles de cuir sur une surface glacée et vous ne trouverez pas ça si drôle.

Je me relève, je m'efforce d'éviter une nouvelle chute, j'écarte de mon chemin un de mes Nguyen, et j'attrape Jonathan par l'oreille. Mais il secoue la tête et échappe à ma prise pour asséner un solide coup de poing au Huard le plus proche.

J'essaie de le rattraper. En vain, puisqu'il patine plus vite que je marche.

Heureusement, tout le monde finit par s'arrêter. Peut-être parce que je suis intervenu. Probablement plus parce que nous sommes essoufflés, épuisés comme des boxeurs au dixième round. Un à un, mes joueurs regagnent leur banc, avec moi qui ferme la marche sans tomber parce que j'ai enfin maîtrisé l'art de glisser mes pieds sur la glace. Je m'apprête à les engueuler vertement, mais une voix dans les haut-parleurs m'interrompt :

— Punition de match à l'entraîneur de l'équipe des Visiteurs pour avoir été le premier à quitter son banc afin de participer à une bagarre.

Si je ne me trompe, c'est moi, l'instructeur des Visiteurs. Mais je n'ai rien fait, moi ! J'essaie de m'approcher du type qui vient de parler au micro pour faire valoir mon point de vue. Pas de chance : un vrai policier en uniforme s'empare de mon bras et me tire dans l'autre direction.

J'ai juste le temps de jeter un coup d'œil à l'instructeur de l'autre équipe, un gros sans cravate, en blouson noir orné d'un dollar géant, qui m'adresse, de l'autre côté de la patinoire, un doigt d'honneur peut-être un peu mérité.

— Vous pouvez attendre dans la chambre des joueurs, me dit le policier, mais si je vous revois près de la patinoire, je vous amène au poste.

Les Huards ont une avance de trois à un, affiche le tableau placé au-dessus du couloir qui mène au vestiaire. (Nous avons marqué un but par accident, lorsque notre gardien a dégagé son territoire, et la rondelle s'est faufilée jusqu'au fond du filet adverse.)

C'est une honte. Si je le pouvais, je rentrerais chez moi. Mais je n'ai aucun moyen de le faire. Impossible pour un adulte mâle d'attirer la sympathie des automobilistes la nuit le long de l'autoroute. Seul notre autobus peut me ramener. Je trouve dans le vestiaire un exemplaire de l'hebdomadaire local, où je découvre que les Huards n'ont pas encore gagné un seul match. Il est vrai qu'on n'est qu'en octobre, mais ça ne les empêche pas d'en avoir déjà perdu cinq. Saint-

Zéphyrin est au premier rang des huit équipes, avec cinq victoires et aucune défaite avant ce soir.

Mon équipe de *losers* improvisés vient me rejoindre dans le vestiaire. Ils s'assoient. Quelques-uns me regardent avec un sourire ironique. Il est évident que c'est sur moi qu'ils vont faire porter la responsabilité de leur défaite. Ils ont choisi ce moyen original de rendre hommage à leur entraîneur décédé : perdre de façon lamentable avec le nouveau. Je trouve ça suprêmement stupide, mais c'est parfaitement compréhensible. Après encore un long moment de réflexion, je décide de leur dire leurs quatre vérités. Je me lève. Pas besoin de réclamer le silence, puisqu'ils ne disent pas un mot.

— Je vais vous avouer une chose : j'haïs le hockey. Oui, je sais que c'est pas français, qu'on doit dire « Je hais le hockey ». Ou « Je déteste le hockey ». Mais quand on haït le hockey comme j'haïs le hockey, on a le droit de dire « Je l'haïs ». Si je suis là avec vous ce soir, c'est parce qu'on a trouvé personne d'autre. J'ai le malheur d'être le père de l'un d'entre vous et le président Beauchemin avait mon numéro de téléphone.

Je ne précise pas quel joueur a la honte ultime de m'avoir comme paternel. Des regards tournés vers les quelques joueurs québécois de souche me confirment que Jonathan n'est pas plus que les autres suspecté d'être mon rejeton. Le petit malin fait d'ailleurs comme les autres, pour détourner les soupçons. Je continue :

— Il m'a téléphoné, m'a dit que vous êtes la meilleure équipe de la ligue, que vous pouvez pas perdre. Il va être surpris d'apprendre que vous y êtes parvenus

grâce à moi. Je m'en plains pas, parce que ça va
m'éviter de vous diriger une autre fois, si on peut
appeler ça diriger une équipe.

La complainte du huard retentit de nouveau.

— Allez-y. Je vous attends ici. Parce que je suis
obligé.

Les joueurs se lèvent et repartent, penauds. Peut-
être même un peu honteux, eux aussi. Non. Je parie
qu'ils retiennent leur sourire ironique. Ils ont toujours
gagné, avec un entraîneur exigeant, peut-être tyran-
nique, et enfin ils peuvent s'offrir le doux plaisir d'en
perdre une en mettant ça sur le dos d'un entraîneur
qui déteste le hockey. J'ai raté une belle occasion de
me taire.

Je reste assis dans le vestiaire, sous l'éclairage
glauque des néons. J'essaie de réfléchir à ma vie, ce qui
n'a rien de rigolo. Les aléas de ma carrière d'entraîneur
devraient même être le dernier de mes soucis.

J'ai trente-neuf ans, je suis en instance de divorce,
père d'un fils de quatorze ans avec lequel je suis incapable de communiquer. J'ai pourtant un bac en communication, qui ne m'a servi à rien parce que je suis
arrivé dans le marché du travail après des dizaines de
milliers d'autres diplômés en communication qui
avaient déjà pris tous les emplois intéressants. Je suis
retourné dans ma ville natale. Je suis devenu vendeur
de voitures pour General Motors, convaincu que la
plus grande entreprise de la planète était à jamais à
l'abri de la faillite. J'ai épousé la première fille qui a
dit oui. Et me voilà en instance de divorce et chômeur,
incapable de me trouver du travail. Je n'ai plus de

voiture et j'habite un appartement minable dont personne d'autre ne voudrait. Je n'ai même pas de blonde et je sais que je suis incapable de m'en trouver une parce que les filles qui veulent une relation durable fuient les chômeurs comme la peste. De toute façon, je n'ai plus envie d'avoir une blonde. Pas plus que des amis, qui me prendraient en pitié — et plus on est pitoyable, moins on a envie de faire pitié. Pour couronner le tout, j'ai deux mois de retard dans le paiement de mon loyer. J'envisagerais le suicide avec plaisir, si je n'étais pas sûr de rater ça aussi.

Peut-être que je deviendrai sans-abri. Est-il possible d'être heureux sans domicile fixe ? J'en ai vu des souriants, qui attendaient leur repas de midi en file devant l'accueil Bonneau, à Montréal. Oui, finalement, ce ne serait pas si mal : passer mon temps à tendre la main devant une bouche de métro, me contenter d'un ou deux repas gratuits, me payer quelques bouteilles de bière au lieu du café payé par les passants, essayer de dormir la nuit avec des schizophrènes et des paranoïaques et le devenir moi-même si c'est possible d'être les deux en même temps. L'homme des cavernes et même la majorité des peuples du Moyen-Âge et de la révolution industrielle, de même que la quasi-totalité des habitants actuels d'Haïti, du Congo ou du Zimbabwe ont connu un sort bien pire que celui-là.

J'en suis réduit à me consoler en me comparant, lorsque la porte du vestiaire s'ouvre. Mon ex-adjoint entre, un large sourire accroché au bas du visage. Il est suivi des membres de mon ex-équipe, joyeux et bruyants. Je ne les reconnais plus.

— Sssisss...

— Six à trois, disent en chœur une dizaine de joueurs.

— Kim a fait un tour du chapeau, ajoute une voix.

Je suis presque aussi fier de moi que de lui : je sais que le tour du chapeau veut dire que Kim a marqué trois buts. À moins que ce soit quatre ?

En tout cas, il s'ensuit un concert d'exclamations auquel je ne comprends rien tandis que les joueurs enlèvent leur uniforme et remettent leurs costumes d'ados. Si je comprends bien, mon équipe s'est ressaisie en troisième période. Pourquoi ? À cause de ce que j'ai dit ? Mais qu'est-ce que j'ai tant dit ? Rien pour transformer des perdants en vainqueurs. Ils se sont simplement rendu compte, juste à temps, qu'ils étaient incapables de perdre, quel que soit l'entraîneur qu'on leur envoie.

3

NOUS REMONTONS dans l'autobus. L'atmosphère est détendue. Les joueurs ne chantent toujours pas. Au moins, ils parlent, quoique pas à moi.

Il est presque dix heures du soir. Je suppose que nous allons devoir reconduire chaque joueur chez lui et qu'il est de ma responsabilité de veiller sur eux jusqu'à ce que le dernier ait réintégré le domicile familial. Je ne serai pas au lit avant deux ou trois heures du matin. Il sera trop tard pour aller prendre un dernier verre Chez Camille, où mon ardoise est, de toute façon, un peu trop garnie de verres impayés.

L'autobus démarre. Avant de prendre l'autoroute, nous passons devant un Tim Hortons. Si j'avais plus que dix dollars en poche, j'inviterais mon équipe à y célébrer notre victoire (oui, la nôtre, puisque rien ne prouve qu'elle aurait eu lieu si je n'avais pas survolté mes joueurs en me faisant expulser du match). Tiens, notre chauffeur n'a pas vu le panneau indiquant Montréal, à droite. Il continue sur le viaduc qui enjambe l'autoroute. Je me lève pour aller lui dire qu'il s'est trompé. Mais juste comme j'arrive près de lui, il tourne à gauche avant que j'aie eu le temps d'ouvrir la bouche, et s'arrête quelques mètres plus loin devant le motel MoreInnTown.

— On...

— On va coucher là ?

Il hoche la tête, ravi que je le comprenne à demi ou quart de mot, même si, pour une fois, *on* est un mot entier. Il sort d'un petit sac de cuir une série de clés, chacune attachée à un porte-clés ovale portant un numéro. Il me tend la 19 et pointe du doigt vers l'extrémité du motel la plus éloignée de la réception. Je comprends. Il s'est occupé de la réservation d'une vingtaine de chambres et je n'ai qu'à me rendre à la mienne. Beauchemin aurait dû me prévenir : j'aurais apporté une brosse à dents et un pyjama. Mais chez moi je dors en caleçon, et je peux m'en contenter. Ce ne sera pas non plus la première fois que je vais au lit avec les dents sales.

La distribution d'une vingtaine de clés risque de prendre une éternité, alors que je suis crevé sans trop savoir pourquoi. Je crie « Bonne nuit, les gars ! » et me dirige vers la chambre 19.

Il y a deux lits à deux places recouverts d'édredons désassortis. La peinture pourrait être plus fraîche, les tapis moins tachés et les reproductions de paysages qui ornent les murs moins laides, mais à tout prendre la chambre est convenable pour y passer une seule nuit.

J'enlève mon veston et ma cravate. J'allume la télé, mais le journal est déjà commencé et je n'aime pas regarder les nouvelles quand j'ai manqué les plus importantes. Je l'éteins. Je tâte le lit le plus près de la salle de bains. Le matelas ne semble pas inconfortable.

Mais j'ai faim. Je n'ai rien mangé depuis midi. Les jeunes ont probablement un goûter dans leurs sacs — des barres de chocolat, des biscuits, des boissons énergisantes. Moi, je n'ai rien. Je vais faire un tour, en me cachant de mon mieux, jusqu'au Tim Hortons, de l'autre côté de l'autoroute.

Je m'apprête à remettre mon veston, lorsqu'on frappe à la porte. Je vais ouvrir.

C'est K. Nguyen. Qu'est-ce qu'il me veut ? Il exhibe une clé au même numéro que la mienne pour me montrer que nous partageons la chambre. Tant pis. Pour lui, surtout, qui ne peut pas ronfler plus fort que moi.

Il dépose son sac dans un coin, en retire une petite trousse de voyage et se dirige vers la salle de bains.

Ça refrappe à la porte. Merde ! Nous allons être quatre, dans deux lits. Le chauffeur aurait pu me prévenir, même s'il en aurait eu pour une demi-heure à tenter de m'expliquer ça.

C'est lui, justement, qui me tend une boîte carrée qui ne peut contenir qu'une pizza, d'autant plus qu'elle porte le logo de Pizzeria Morino.

— Piii...

— Pizza, j'ai compris.

Il m'adresse un grand sourire, referme la porte.

Je dépose la pizza sur la petite table, entre les deux chaises. K. Nguyen vient me rejoindre. Je suppose qu'il ne s'est pas brossé les dents, puisqu'il savait, lui, que la pizza est un rituel obligé après les matchs. Ou du moins après les victoires. Ou tout simplement quand on joue à l'extérieur et qu'on doit se réfugier dans un motel le ventre creux.

La pizza n'est pas très grande — dans les dix ou douze pouces, je dirais — mais suffira pour deux. J'en mets la moitié dans chacune des deux assiettes de carton. Et nous mangeons sans rien dire. Qu'est-ce qu'on peut dire à un joueur qui vient de marquer trois buts alors qu'on n'a pas vu un seul de ces buts ? K. Nguyen est timide ou n'a rien à dire lui non plus.

Pour faire la conversation, je lui demande :

— C'est toujours toi qui partages la chambre de l'entraîneur ?

— Non. Des fois, c'est Jonathan.

Est-ce que Jonathan a dit à mon adjoint qu'il ne voulait pas partager ma chambre ? Ou est-ce juste tombé comme ça : une fois sur deux, c'est Jonathan qui partage la chambre de l'instructeur, et c'était lui la dernière fois ?

K. Nguyen jette les assiettes vides et les ustensiles de plastique avec la boîte de carton dans la corbeille à papier, et retourne se brosser les dents. J'en profite pour me déshabiller et me glisser sous les draps. J'ai gardé mon caleçon. Pas question que je me montre tout nu devant un mineur. La Direction de la protection de la jeunesse n'apprécierait pas.

Il revient, dans un pyjama beaucoup trop ample, comme si c'était celui de son père.

Il se couche dans l'autre lit et j'éteins la lampe de chevet.

Il ne faut pas que je m'endorme le premier. Je n'ai pas envie que les coéquipiers de Jonathan apprennent que son père ronfle comme un poêle à bois, le jour où je ne sais quelles circonstances le forceront à avouer notre lien de parenté.

Parce que, à bien y penser, je vais peut-être répéter l'expérience de diriger cette équipe. L'autre instructeur est toujours mort, et ça ne doit pas être facile à remplacer, un instructeur, sinon je ne serais pas ici. Je ne manque pas de temps libre, et diriger une équipe de hockey constituerait un loisir agréable et stimulant. Cela me permettrait de rencontrer des gens, surtout quand nous jouerons à Saint-Zéphyrin. Des mères monoparentales, par exemple, puisque j'ai passé l'âge de courir après les jeunes pétards (la comptable stagiaire de Colombe avait plus de trente ans). Les mères abandonnées sont plus indulgentes que les filles célibataires à l'endroit des chômeurs. Surtout les assistées sociales, mais j'espère trouver mieux. Comme je serai l'instructeur d'une équipe gagnante (et elle va continuer de gagner avec moi, puisqu'elle le fait très bien sans moi), cela me donnera une réputation de battant. Pas seulement auprès des mères, mais aussi auprès des pères trop occupés pour voir leur progéniture en action ailleurs qu'à Saint-Zéphyrin. On m'offrira peut-être de gérer un magasin d'articles de sport, ou un comptoir de sushis, ou même une équipe qui a les moyens de rémunérer son instructeur.

On n'a pas besoin d'être un grand expert pour diriger une équipe. La preuve : je n'étais même pas là pendant cette troisième période triomphale.

Je pourrai monter en grade. D'abord, en suivant Jonathan. L'an prochain, il va jouer midget, me semble-t-il, à moins qu'il ne soit bantam encore une année. Après, je ne sais pas. Junior, peut-être, s'il n'y a rien entre midget et junior ? Et s'il se rend jusqu'à la Ligue nationale ? Je pourrais essayer d'être le soigneur de son équipe. Ou le préposé à l'équipement. Pour aboutir assistant-instructeur. Après, le ciel est la limite, comme disent les Américains.

Je fais de beaux rêves tout éveillé et je sens que je vais en faire des plus beaux encore dès que je serai endormi. Un instructeur de la Ligue nationale, ça peut attirer les plus belles filles. Des miss Météo, des mannequins, des actrices, n'importe qui avec des seins à faire bander.

C'est bien joli tout ça, mais il faudrait vraiment que je dorme, si je veux rêver à mon goût. Mes rêves — les vôtres aussi, je suppose — sont en 3D, depuis bien avant l'invention du cinéma en trois dimensions. Des tétons immenses, en 3D, c'est presque mieux que des vrais.

Mais je n'arrive pas à dormir. Quelle heure est-il ? La pile de ma Timex est trop faible pour éclairer le cadran. Il y a un réveil posé sur l'unique table de chevet, entre les deux lits. Mais je ne peux pas voir l'heure, parce qu'il est mal orienté. Je me lève pour le replacer. Et j'aperçois le visage de K. Nguyen, vaguement éclairé par les lueurs verdâtres de l'affichage.

Déjà minuit dix-sept. Mon compagnon de chambre
ouvre les yeux tandis que je tourne le réveil du côté
de mon lit. Il dit, de sa voix de garçon qui n'a pas
encore mué, mais ça ne devrait pas tarder :

— Je fais rien que sucer.

Me voilà interloqué. Vous le seriez à ma place.

Je reste là, une seconde ou deux, debout, à tenter
de scruter le visage de K. Nguyen que le réveil
n'éclaire plus. Vous pensez peut-être que j'hésite ? Ce
pourrait être ça, parce que, j'ai honte de l'avouer,
j'aime bien me faire faire une petite fellation, de temps
en temps. Colombe n'appréciait pas trop. Alors, ça
fait longtemps que je suis en manque. J'avoue aussi
que, depuis six mois que nous nous sommes séparés,
je ne suis pas encore parvenu à attirer une fille dans
mon lit. Et même si on peut se faire sucer dans beaucoup d'autres endroits qu'un lit (une voiture par
exemple, mais je n'en ai plus), ça ne m'est pas arrivé.
Il faut dire que je n'ai pas beaucoup cherché. J'ai passé
les premiers mois à me lamenter sur mon sort. Je
viens tout juste de décider qu'il est temps que je
refasse ma vie. Mais je ne me suis pas encore sérieu-
sement remis en chasse. Je me contente de fréquenter
Chez Camille, où les jolies filles sont rares à l'excep-
tion de la barmaid qui est la copine de Sylvain
Ménard, mon propriétaire. Si je lui fais du plat, je vais
me faire expulser en même temps du bar et de chez
moi.

Oui, une petite fellation, ça me dirait, et j'y pense
pendant quelques secondes. Pas plus de dix, en tout
cas. Par un garçon, ça me fait hésiter. En principe, c'est

la même chose : une bouche masculine ou une bouche féminine, ça a le même genre d'intérieur et ça doit faire le même effet. Je parie qu'en fermant les yeux on est incapable de voir la différence. Mais je n'en ai pas envie, même si K. Nguyen a un côté un peu efféminé. Surtout pas une fellation par un garçon mineur. D'autant plus que je suis son instructeur, au moins jusqu'à ce qu'on soit de retour à Saint-Zéphyrin. Je suis en position d'autorité. Je doute qu'un juge trouve que mon expulsion du match y change quoi que ce soit si jamais la DPJ m'envoyait devant un tribunal. Et même si K. Nguyen raconte que je l'ai simplement laissé faire (après tout, c'est lui qui en a parlé le premier), je suis bon pour quelques années en prison, où les pédophiles se font enculer tous les soirs, histoire de leur faire passer leur perversion. D'ailleurs, si K. Nguyen n'en dit rien maintenant, cela ne l'empêchera pas de porter plainte dans dix ou vingt ans, lorsque j'aurai refait ma vie, avec un nouveau job et une nouvelle famille, et j'aurai encore plus d'emmerdements. Ça s'est vu et ça se voit de plus en plus souvent.

Je me recouche sans rien dire. Je fais semblant de dormir en espérant que mon silence suffira à contenir les appétits de mon compagnon de chambre. Et ça marche, parce que K. Nguyen ne revient pas à la charge. Tant mieux. Ou tant pis.

Je ne dors toujours pas. D'abord, parce qu'il y a quelque chose de bizarre dans ce « Je fais rien que sucer. » Cela laisserait-il entendre qu'il ne veut pas se faire enculer ? Ni enculer lui-même son partenaire d'une nuit ? Cela n'est finalement pas étonnant. Le sida a eu pour effet positif de faire remonter la popularité de la fellation et baisser celle de la sodomie. En plus, j'imagine que l'anus d'un garçon de treize ou quatorze ans n'a peut-être pas une taille compatible avec celle du pénis d'un instructeur de presque quarante ans.

Ce n'est pas vraiment ça qui me chicote, parce qu'une autre idée me trotte maintenant par la tête. Si K. Nguyen m'a posé cette question, c'est sûrement parce que mon prédécesseur fraîchement décédé appréciait ce genre de gâterie. En plus, il l'enculait, sinon K. Nguyen ne m'aurait pas averti de me limiter à la fellation. Mon prédécesseur devait l'agresser, en échange de temps de glace. Et le temps de glace, c'est l'élément essentiel pour le perfectionnement d'un jeune joueur de hockey, pas besoin de s'y connaître en hockey pour le deviner. Plus on passe de temps sur la patinoire, plus on marque de buts. C'est mathématique. Je parie que Wayne Gretzky avait tout le temps de glace qu'il voulait quand il jouait bantam. Qu'est-ce qu'il faisait pour l'obtenir ? Je ne sais pas si vous vous souvenez de ses photos quand il était jeune, mais il avait l'air un peu efféminé, lui aussi.

Et tout à coup, c'est l'horreur absolue. K. Nguyen m'a dit que Jonathan partageait parfois lui aussi la chambre de l'instructeur. Il n'y a qu'une conclusion possible : mon fils s'est fait agresser sexuellement ! Fellation ou sodomie ? Probablement les deux. Pas étonnant qu'il soit le joueur de centre du meilleur ailier gauche de l'équipe. Parce qu'il y a un autre facteur que le temps de glace pour réussir au hockey : les compagnons de ligne. On a beau être surdoué, si on a les ailiers ou le centre les plus nuls, on n'ira pas bien loin. Même Gretzky a sûrement toujours joué avec les meilleurs de son équipe. Pour un joueur, ça vaut la peine de se laisser agresser si ça peut le transformer en professionnel ou, s'il est déjà dans la Ligue nationale, en champion des compteurs.

Et tout ça, c'est la faute de Colombe. Pas pour Gretzky, bien sûr, seulement pour Jonathan. C'est elle qui l'a inscrit au hockey alors qu'il n'avait même pas sept ans. Malgré mon avis. Moi, je l'ai inscrit au club de natation. Des instructeurs de natation qui agressent les jeunes nageurs, on n'a jamais entendu parler de ça. Ils se contentent de regarder les gars et les filles en maillots ultracollants. Ce sont des regardeurs, pas des toucheurs.

Avant que vous me le fassiez remarquer, je dois reconnaître que Colombe n'a pas fait exprès, qu'elle était loin d'imaginer que l'instructeur de son enfant lui commanderait des fellations ou pire encore. Il n'empêche que c'est à cause d'elle que c'est arrivé à notre fils.

Qu'est-ce que je fais, maintenant ? J'en parle à Jonathan ? Je ne sais pas si je devrais. Il doit avoir suprêmement honte. Trop honte pour en parler avec ses parents. La preuve, c'est qu'il ne l'a pas fait. Même pas à sa mère, sinon Colombe m'en aurait fait part. C'est le genre de chose dont vous parlez avec votre ex s'il est le père de votre enfant. C'est le meilleur moyen de le faire se sentir coupable d'être parti, même si vous l'avez vous-même mis à la porte. Moi, en tout cas, je vais en parler à Colombe dès demain — non, dès aujourd'hui, puisqu'il est minuit passé. Je vais essayer de la convaincre de le retirer du hockey et de lui payer un psy. Ça ne doit pas coûter tellement plus cher que le hockey, le psy. Surtout, ça doit se guérir, ce genre de traumatisme, si on le prend à temps. Est-ce qu'elle va me croire ? Elle va faire semblant que non, puisque le hockey c'était son idée à elle.

Au moins, il est mort, l'instructeur. Mais il faut absolument que je demeure instructeur de l'équipe si Jonathan continue de jouer. Si on me remplace, rien n'interdit de penser qu'ils choisiront un autre pédophile. C'est bien connu : les hommes qui aiment les garçons ont tendance à choisir les fonctions qui leur permettent de les attirer — chef scout, curé, instructeur de hockey.

J'ai presque envie de téléphoner à ce con de Beauchemin pour le supplier de me garder, avant qu'il ait entendu des récits sur mon comportement pendant ce match. On a gagné, mais j'ai été expulsé. Il faut que je lui explique sans tarder. Mais est-ce que j'ai son numéro de téléphone ? Il me semble que je l'ai noté sur un bout de papier que j'ai gardé dans mon portefeuille.

Je vais à la salle de bains après avoir attrapé mon pantalon au passage, je fais de la lumière et je ferme complètement la porte pour éviter de réveiller K. Nguyen. Je trouve mon portefeuille dans la poche arrière. Oui, j'ai son numéro. Ses numéros, puisqu'il m'a aussi donné son numéro de cellulaire.

Lequel je fais ? Le fixe : à cette heure, il est sûrement dans son lit. Mais il m'a dit que je pouvais lui téléphoner n'importe quand si j'avais des problèmes. Et là, j'ai des problèmes. Pire : un problème grave. Je ne vais pas lui en parler, juste demander qu'il me garde comme instructeur. Est-ce qu'on peut téléphoner à un président d'association sportive après minuit pour lui demander une chose pareille ? Non, évidemment.

Je dépose les numéros de Beauchemin à côté du téléphone et je me remets au lit.

C'est samedi et je préfère lui téléphoner à une heure raisonnable. Neuf heures du matin, c'est parfaitement raisonnable. Sauf que nous serons probablement dans l'autobus à cette heure-là. Dès que je serai arrivé chez moi, je l'appellerai.

En attendant, je vais essayer de dormir.

Mais je ne dors pas plus qu'avant, parce qu'une nouvelle question vient de surgir dans mon cerveau : comment est-il mort, l'autre entraîneur ?

« Subitement. » C'est tout ce que m'en a dit Beauchemin. Mais il y a des millions de manières de mourir subitement. Un accident d'auto ou d'avion. Une crise cardiaque ou un AVC. On peut aussi se suicider ou se faire assassiner — deux manières de finir sa vie parfaitement compatibles avec la pédophilie.

Je téléphonerais tout de suite pour tirer ça au clair, mais K. Nguyen est dans le lit à côté et je risque de le réveiller. Je me relève quand même avec le combiné, au cas où le fil serait assez long pour que je téléphone de la salle de bains, porte fermée. Il ne l'est pas.

Vous allez dire que je suis vite en affaires, mais me voilà au milieu de la nuit dans la cabine téléphonique en face du motel.

Je n'ai pas de monnaie et mes cartes de crédit débordent. Mais Beauchemin devrait avoir les moyens d'accepter un appel à frais virés.

Oui! Il dit «oui», sur un ton blasé ou résigné, à la voix mécanique qui lui demande s'il accepte les frais d'un appel provenant d'Antoine Groleau.

— Qu'est-ce que tu veux? demande-t-il avant que j'aie pu lui donner la permission de me tutoyer. Je sais que vous avez gagné. Six à trois. Pas onze à un comme la semaine passée, mais c'est quand même pas si pire pour un match à l'extérieur.

— Qui vous l'a dit?, je demande, alors que je devrais le tutoyer moi aussi.

— C'était à la radio de Taschereau. Ils ont aussi dit que tu t'étais fait expulser. Bonne idée, ça. Ça va te donner plus d'autorité sur les jeunes. Ils aiment ça, un instructeur qui a des couilles.

Bonne nouvelle: il semble que je suis toujours instructeur de l'équipe sans même avoir à le demander.

— Qu'est-ce que tu veux? répète Beauchemin. Tu sais quelle heure il est?

— J'ai juste une petite question.

J'en aurais une bonne douzaine, mais je vais me contenter de celle-là:

— Il est mort comment, l'autre instructeur?

Il y a un moment d'hésitation, puis un soupir suivi de:

— Don Moisan? Il a été assassiné. À coups de batte de baseball, si tu veux tout savoir.

— Ah bon! dis-je comme si ça me soulageait d'apprendre qu'il n'est pas décédé d'un infarctus. Par qui?

— La police aimerait bien le savoir.

— Ils ont des pistes ?

— Faudrait leur demander.

Je me tais, à la recherche d'autres questions pertinentes. Et aussi parce que j'ai peur que Beauchemin commence à penser que j'ai tué mon prédécesseur pour lui voler sa place.

— Je peux retourner dormir ? demande mon président à l'autre bout du fil.

— Oui.

Moi aussi, je retourne dormir.

En marchant vers le motel, j'essaie d'imaginer mon Jonathan tapant sur la tête d'un homme avec une batte de baseball. Je n'y arrive pas, parce que je ne sais pas où le meurtre a eu lieu. Et c'est difficile d'imaginer une scène quand on n'a aucune idée du décor. Dans le lit de l'instructeur ? Dans la rue ? Dans un motel ? Sur sa pelouse, pendant qu'il la tondait pour la dernière fois de l'année et le bruit du moteur l'a empêché d'entendre Jonathan s'approcher par derrière ? Non : il me semble bien qu'hier après-midi, Beauchemin m'a dit qu'il était mort la nuit précédente. On ne tond pas une pelouse en pleine nuit à la fin d'octobre.

Je ne sais même pas où il habitait, ce Don Moisan. Un bungalow ? Une maison de campagne ? Un appartement ? À Saint-Zéphyrin, ou dans un des villages des alentours ? Rien n'oblige un entraîneur bénévole à résider dans la même municipalité que son équipe. Était-il même bénévole ? Le suis-je, moi ? Beauchemin ne m'en a pas parlé. J'ai presque envie de le rappeler pour lui demander. Non. Il n'accepterait pas les frais, une deuxième fois.

De toute façon, ce sont des détails sans importance, à côté de la situation que je dois affronter. Mon fils est peut-être un assassin. Il avait un motif : son entraîneur le forçait à lui faire des fellations, ou toutes sortes d'autres saloperies. Jonathan avait l'arme du crime, puisqu'il joue au baseball tous les étés. Depuis qu'il a abandonné le club de natation, c'est même moi qui paie les frais d'inscription, parce que ça coûte beaucoup moins cher que le hockey, qui relève du budget de Colombe, et j'haïs cent fois moins le baseball que le hockey. Il faut dire que mon père ne m'a jamais forcé à y jouer. Et les Expos avaient déjà quitté Montréal quand Jonathan a eu l'âge que je l'amène les voir jouer.

Donc, mon fils est peut-être — non, probablement — un assassin. Il a des circonstances on ne peut plus atténuantes. Surtout si on ne le forçait pas seulement à sucer, comme K. Nguyen. Heureusement, il est mineur et ça lui vaudra, au pire, un séjour de quelques années dans un de ces centres jeunesse qu'on appelait autrefois des écoles de réforme. Je ne sais pas pourquoi ils ont changé le nom. Il me semble que si j'avais l'âge de Jonathan, la perspective d'être hébergé dans un centre jeunesse ne me ferait pas si peur. Pas au point de me retenir d'assassiner mon agresseur.

N'empêche qu'il y a là de quoi briser sa vie. Déjà, se faire enculer par son entraîneur, c'est tellement honteux que les rares joueurs de hockey qui l'ont avoué ne l'ont fait que dix ou vingt ans plus tard, une fois leur carrière terminée. Et puis, vous direz ce que vous voudrez, avoir un passé d'assassin juvénile n'impressionnera ni un futur employeur ni une blonde éventuelle.

Je ne suis pas le père idéal, vous l'avez déjà remarqué, que vous soyez ou non meilleur parent que moi. Ça ne m'empêche pas de décider de faire l'impossible pour que Jonàthan ne soit ni soupçonné ni arrêté.

Comment ? Lui parler, d'abord. Il va tout nier, mais je le connais et je devinerai facilement s'il dit la vérité.

Je pourrais aller à sa chambre tout de suite. Mais je ne sais pas dans laquelle il est. Je ne vais quand même pas risquer de réveiller tout le monde. Ils ne savent pas que je suis son père et ils vont se poser des questions si je vais frapper en criant son nom à toutes les portes.

Je vais attendre que tout le monde soit debout, et je l'amènerai à l'écart quelques minutes. Pour le déjeuner, peut-être. Il ne veut pas qu'on sache que je suis son père, mais un instructeur a le droit d'avoir un entretien privé avec un de ses joueurs. Mon prédécesseur ne s'en gênait pas, apparemment.

Pour l'instant, je vais essayer de dormir quelques heures pour avoir la tête fraîche. Mais en arrivant à la porte de la chambre 19, j'ai beau fouiller toutes mes poches, je ne trouve pas la clé. J'ai dû la laisser à l'intérieur, sur la table de chevet.

Je tourne la poignée. Pas de chance, la porte s'est verrouillée toute seule quand je suis sorti, tout à l'heure.

Je n'ai pas le choix : il faut que je réveille K. Nguyen.
Je frappe doucement, puis je mets l'oreille contre la
porte. Pas un bruit. J'essaie encore, un peu plus fort.
Toujours rien. Est-ce que je devrais crier ? Je risque
de réveiller un dormeur ou d'alerter un insomniaque
dans une des chambres voisines. Et si ce n'est pas un
de mes joueurs, il va se demander ce que fait ce poi-
vrot qui crie en pleine nuit. Si c'en est un, ça ne vaudra
guère mieux.

Ma troisième tentative, à taper à peine plus fort
que la fois précédente, mais huit coups au lieu de trois,
donne des résultats. J'entends bouger. Quelques
secondes plus tard, j'aperçois les yeux légèrement
bridés de K. Nguyen qui me regardent par la porte
entrebâillée.

Je chuchote :

— J'ai oublié ma clé.

Il me laisse entrer, ne me demande rien et je ne
lui donne pas d'explication. Il referme la porte et nous
revoilà dans l'obscurité. Nous nous couchons chacun
de notre côté.

Je lui pose la question, ou pas ? Dans le fond, il y
a autant de chances que ce soit lui plutôt que Jonathan
qui ait assassiné Don Moisan. Il s'est fait agresser, lui
aussi. Mais il n'a pas une tête à ça.

Vous avez sans doute du mal à imaginer qu'un père
trouve que son fils de quatorze ans a une tête d'assassin. C'est parce que vous n'avez pas été dans ma tête
à moi depuis une heure que je me repasse le film que
j'ai imaginé même si je n'ai toujours aucune idée de
l'endroit où la scène se déroule : Jonathan, une batte

de baseball entre ses mains, tape sur la tête d'un type qui commence par lever les bras pour se protéger, puis laisse tomber sa garde et le sang gicle du crâne, tandis qu'un joyeux rictus illumine le visage de mon fils.

Si vous avez des enfants, essayez d'en imaginer un, n'importe lequel, de préférence celui ou celle qui a le plus une tête à ça, en train d'assassiner un inconnu ou même votre meilleur ami. Je parie que vous y arriverez après quelques minutes. Même si c'est une fille toute frêle. Il suffit d'imaginer n'importe quoi assez longtemps, pour que ça devienne plausible.

Mais avec K. Nguyen, je n'y arrive pas. Il a des traits très doux pour un joueur de hockey. Il est mince, un peu efféminé comme le sont sans doute tous les Asiatiques de son âge, peut-être plus encore s'ils ne le sont qu'à moitié. J'ai beau m'efforcer de l'imaginer en assassin, je n'y arrive pas. Vous me direz que je ne l'aurais pas non plus imaginé en joueur de hockey si je ne l'avais pas vu en uniforme, mais ce n'est pas du tout la même chose.

Si vous appréciez les calculs de probabilités, je dirais qu'il y a neuf chances sur dix pour que ce soit Jonathan l'assassin, et seulement une pour K. Nguyen.

Je l'entends bouger dans le lit d'à côté. C'est sans doute le meilleur ami de mon fils. Il est sûrement au courant. Peut-être même qu'il était là, qu'il a essayé de l'en empêcher, mais Jonathan était dans une telle rage qu'il n'en a pas été capable.

Pour en avoir le cœur net, aussi bien lui demander :

— J'ai une question à te poser. J'aimerais que tu me répondes franchement. C'est Jonathan ?

Il hésite quelques secondes avant d'acquiescer :
— Oui.

Il a dit ça en sanglotant, puis il se met à pleurer pour de bon. Qu'est-ce que je fais ? Je vais le rejoindre dans son lit et je le serre dans mes bras ? Non. Ça pourrait être retenu contre moi si jamais on l'interroge : « Don Moisan était-il le seul à vous prendre dans ses bras ? — Non, Tony Groleau l'a fait aussi, en pleine nuit, dans un motel à Morinville. »

De toute façon, je ne suis pas très doué pour les sentiments. Je ne me souviens pas d'avoir serré Jonathan contre moi depuis qu'il a, je ne sais pas, sept ou huit ans. Ou six. Dans ma famille, les hommes se sont toujours conduits comme des hommes. Pas de sensiblerie, pas de larmes, pas de gestes d'affection aussi ambigus qu'inutiles. Pas besoin de se dire qu'on s'aime quand c'est impossible qu'on ne s'aime pas. Et si on ne s'aime pas, pourquoi mentir ?

De toute façon, les larmes de K. Nguyen s'arrêtent bientôt. Ce n'est pas moi qui vais m'en plaindre.

4

J'ouvre les yeux. Je crois que j'ai dormi. Il fait encore noir. Le radio-réveil affiche cinq heures et demie. Pas possible que j'aie passé toutes ces heures à me triturer les méninges sur le sort de Jonathan.

Tiens, il y a une drôle de lumière dans les tentures. Plutôt rougeâtre, et qui va et vient comme si elle clignotait. J'ai un mauvais pressentiment.

Je me lève sans faire de bruit et je soulève un bout de rideau. C'est bien ce que je redoutais : des gyrophares de police. Il y a trois voitures de la Sûreté du Québec garées devant la réception du motel. Une seule a ses gyrophares allumés. Les deux autres, non, mais c'est encore plus inquiétant si vous voulez mon avis.

Il y a des moments dans la vie d'un père où il doit jouer son rôle de père. Vous pouvez appeler ça prendre ses responsabilités, si vous préférez les expressions lourdes. Vous croyez sans doute que le devoir d'un père, quand son fils est recherché pour meurtre dans un pays civilisé, est de le confier à la police dans les plus brefs délais, parce qu'un malheur est si vite arrivé. Une arrestation ou une poursuite peut mal tourner, avec nos policiers jeunots, à la gâchette facile, presque aussi souvent des filles que des gars.

Je dois reconnaître que si j'allais tout de suite livrer Jonathan aux policiers qui sont à sa recherche, il ne pourrait plus lui arriver de grand malheur. Il comparaîtrait devant un tribunal pour la jeunesse, son avocat plaiderait les circonstances atténuantes (et on peut difficilement trouver mieux, comme circonstance atténuante, qu'un entraîneur de hockey qui agresse sexuellement un garçon qui vient de fêter son quatorzième anniversaire si ça n'a pas commencé avant). Même à supposer, au pire, qu'on l'envoie pour deux ou trois ans dans un centre jeunesse, ce ne serait pas si terrible. Il serait entouré de personnel spécialisé et pourrait faire des études au moins aussi brillantes que s'il continue à habiter chez sa mère et à fréquenter la polyvalente de Taschereau, où le guettent les drogues, le sexe, l'oisiveté et que sais-je encore.

Mais quelle opinion aurait-il de moi ? D'autant plus que je le livrerais à des policiers dont les méthodes d'interrogation ne tiennent sûrement pas compte de l'âge de leur victime. Jonathan a la naïveté de la jeunesse et peut être entraîné à avouer pire que ce qu'il a fait. On pourrait, par exemple, lui faire dire que c'est lui qui a fait les premiers pas et tenté de séduire ce salaud de Moisan. Même si c'était vrai, il faut absolument lui éviter ça. Des circonstances atténuantes, ça s'efface vite quand on affronte des enquêteurs habiles et des procureurs qui font du zèle, avec l'ambition de devenir juges.

Pas question que je livre Jonathan à la police. Pas question, non plus, de le laisser dormir jusqu'à ce que les agents qui sont venus l'arrêter aient fait la tournée des chambres. Comment savent-ils que c'est lui ? Tous les joueurs, sans compter mon assistant, devaient savoir qu'il partageait la chambre de l'entraîneur. Ou bien ce petit con de K. Nguyen a trop parlé. S'il est prêt à accuser Jonathan devant moi (alors qu'il me prend pour un parfait étranger et non pour le père de l'assassin), il l'a vraisemblablement aussi fait devant ses coéquipiers.

Il faut que je sorte mon fils d'ici, que je lui trouve un avocat avant que la police lui mette le grappin dessus. Le problème, c'est qu'on est samedi, et que les avocats ne travaillent pas le week-end. C'est d'ailleurs pour ça qu'ils ont fait le droit plutôt que la médecine. Colombe connaît peut-être quelqu'un ? Elle est comptable, a été témoin expert dans des cas de fraude. Elle peut sûrement me recommander un avocat moins incompétent que les autres.

Je me rhabille en réfléchissant à tout ça, et je demande à K. Nguyen, dont je vois dans la pénombre les yeux tournés vers moi :

— Tu sais dans quelle chambre il est ?

— Juste à côté.

Cette fois, je pense à mettre la clé dans ma poche avant de sortir. Je frappe à la porte du 18. Un garçon vient ouvrir en bâillant. Ce n'est pas Jonathan. K. Nguyen se serait-il trompé ?

— Jonathan est là ?

— Oui, fait la voix de mon fils.

Je pousse la porte. À la lueur du lampadaire, je l'aperçois étendu sur un lit. Il n'y a personne dans l'autre lit, dont les couvertures sont défaites. Je suis rassuré : Jonathan n'est pas homosexuel. En tout cas, pas avec son compagnon de chambre. Du moins celui-là. Ça ne prouve pas qu'il n'y a pas des liens trop étroits entre K. Nguyen et lui. Ça aussi, ce serait de la faute de Don Moisan. Et, plus ou moins directement, de Colombe et du hockey. J'ordonne :

— Habille-toi vite. La police est là.

L'autre garçon, derrière moi, doit faire une tête étonnée, parce que Jonathan se sent forcé de lui avouer :

— C'est mon père.

Là, il me fait plaisir. Il n'a pas totalement honte de m'avoir comme paternel, puisqu'il l'annonce à son coéquipier. Surtout après que je me suis fait expulser comme entraîneur. Mais sans doute lui est-il impossible de trouver une autre explication à ce type qui vient le chercher en pleine nuit.

Jonathan commence à s'habiller sans protester. J'en profite pour m'adresser à l'autre garçon :

— Toi, si on te demande où on est passés, tu diras que quelqu'un est venu nous chercher en auto vers minuit. Une auto verte.

Colombe a une Honda verte. Est-ce que ça va lui causer des embêtements ? Probablement. Je ne dis pas ça seulement parce que ça me fait plaisir, mais aussi parce qu'il faut ce qu'il faut. Si les policiers passent des heures à essayer de faire avouer à Colombe qu'elle nous a laissés quelque part, ce sera toujours ça de gagné. Et s'ils croient que ça fait six heures que nous sommes partis, ils vont nous chercher beaucoup plus loin que nous serons en partant à six heures du matin.

Je n'ai jamais vu Jonathan s'habiller si vite. Quand il est chez moi, les matins d'école, ça lui prend au moins une demi-heure. Cette fois, pas plus d'une minute. Si vous voulez que votre enfant s'habille rapidement, dites-lui que la police le recherche.

— Tu diras à Kim de s'occuper de mon équipement, demande encore mon fils à son copain.

Je ne comprendrai jamais les ados d'aujourd'hui. J'annonce à Jonathan que la police est à ses trousses, et il se préoccupe de son équipement. À moins que la batte de baseball impliquée dans le meurtre soit dedans ?

Si j'avais du temps à perdre, j'essaierais de la cacher quelque part où on ne risquera pas de la retrouver. Mais je ne vois pas d'endroit sûr. Aussi bien la laisser là, si elle y est.

Je glisse un œil par la porte entrouverte. Les agents de police sont toujours là, debout, près des trois voitures. Ils sont trop loin pour que je les entende. Est-ce qu'ils attendent des renforts ? Ils sont quatre, si je compte bien, et il me semble que c'est plus qu'assez pour arrêter un gamin de quatorze ans, même protégé par son père. Il n'y a pas une minute à perdre.

— Suis-moi.

Je me faufile dans l'ouverture. Je prends à gauche, dans la direction opposée à celle de la réception. Jonathan est derrière moi. Ma chambre est la dernière de la rangée. Je la contourne. Derrière le motel, il y a un boisé. Peut-être même une grande forêt. Mieux vaut passer par là que suivre la route. Les policiers préfèrent sûrement courir après les assassins en voiture, pas à pied. Où irons-nous, de toute façon ? La seule chose dont je suis sûr, c'est que je dois gagner du temps, et une forêt assez grande pour s'y perdre me semble être l'endroit idéal pour ça.

Le jour va se lever. Mais il fait encore salement noir sous les arbres même s'ils ont perdu presque toutes leurs feuilles. Je me mets à courir, je trébuche, Jonathan m'aide à me relever comme si j'étais un petit vieux. Je ne lui dis pas merci. Seulement « Chut ! », comme si c'était lui qui avait fait du bruit.

Je me remets à courir, je retombe. C'est toujours la faute de mes damnées chaussures de vendeur de voitures, qui m'ont semblé les plus convenables pour jouer à l'instructeur de hockey. Et qui ne sont pas plus commodes dans un sentier boueux que sur une patinoire fraîchement zambonisée. Je parie que l'autre instructeur, dont je n'ai pas vu les pieds, porte des Nike pour diriger son équipe. J'aurais dû faire pareil.

Je me relève encore et fais signe à Jonathan d'y aller plus lentement. Nous marchons je ne sais pas combien de temps dans les bois, jusqu'à ce qu'une clairière commence à s'ouvrir devant nous. En m'approchant, je constate que c'est une voie ferrée qui se dresse sur un remblai, à un mètre plus haut que le sentier. En m'approchant encore, je me rends compte qu'une clôture grillagée nous bloque le chemin.

Après quelques pas de plus, nous sommes forcés de nous arrêter devant la grille. Elle est sans doute là pour empêcher les piétons qui arrivaient par le sentier de traverser le chemin de fer pour se rendre au MacDo dont les arches lumineuses sont tout à fait visibles, à quelques centaines de mètres, de l'autre côté. Je suppose que des ados se sont fait écraser en essayant de traverser. La grille semble toute neuve, parce que personne n'a apparemment eu le temps d'y percer une ouverture suffisamment grande pour nous laisser passer.

Il est sept heures moins dix à ma montre. Il fait tout à fait clair même si on ne voit pas encore le soleil.

Qu'est-ce qu'on fait ? Je n'ai pas à réfléchir long-temps. Il me vient aussitôt en tête des images plutôt romanesques d'un père et son fils qui sautent dans un train de marchandises et traversent le pays pour fuir la police. S'ils n'ont jamais fait de film avec cette histoire-là, ils auraient dû. Oui, je suis prêt à ça. De toute façon, je ne risque pas de briser ma carrière inexistante. Et si jamais on nous rattrape, je ne crois pas être passible de plus qu'une peine avec sursis pour avoir aidé mon fils à fuir dans pareilles circonstances. Je demanderai au juge : « Qu'auriez-vous fait si ça avait été votre fils à vous ? » Il ne répondra pas, parce que les juges n'aiment pas répondre aux questions des accusés, mais il ne manquera pas d'être ébranlé.

— Es-tu capable de passer par-dessus la clôture ?

En guise de réponse, Jonathan grimpe dans la grille aussi rapidement qu'un écureuil à un arbre et saute de l'autre côté sans même que j'aie à lui faire la courte échelle.

Je n'ai plus qu'à l'imiter. Je m'agrippe des deux mains dans le grillage, je me hausse un petit peu. Mais je n'arrive pas à m'aider avec les pieds. Jonathan a des chaussures de course souples, dont la pointe entrait dans les orifices du grillage et dont les nervures s'agrippaient au fil de fer. Moi, j'ai toujours mes souliers de vendeur de voitures, à pointe quasi carrée et trop large pour s'insérer dans le grillage. Et puis je pèse plus de cent kilos, pas seulement cinquante-cinq. Après quelques tentatives infructueuses où je ne réussis pas à monter à plus d'un mètre du sol, je décide :

— On va suivre la clôture chacun de notre côté. On va sûrement trouver un trou quelque part. Ou un passage à niveau.

Je prends à gauche. C'est de ce côté-là qu'est le viaduc pour Morinville. Dans l'autre direction, la première ouverture dans la clôture est peut-être à dix ou vingt kilomètres.

Nous marchons à deux ou trois mètres l'un de l'autre, séparés par la clôture grillagée. Ça ne favorise pas la conversation, même si ça n'empêche pas le son de traverser. Vous essaierez si jamais vous en avez l'occasion. Difficile de parler d'amour fût-il paternel ou de n'importe quoi d'autre, quand on est séparés comme ça. Les barrières psychologiques sont souvent les plus difficiles à traverser, tous les psys vous le confirmeront.

— Qu'est-ce que tu as tant fait, papa ? demande pourtant Jonathan après une centaine de pas en silence.

— Qu'est-ce que tu veux dire ?

— Ils ont quand même pas envoyé la police à cause de la bagarre au hockey. Don Moisan a fait bien pire, puis ça a jamais causé de problème.

J'en ai le souffle coupé. Un instant, je pense que Jonathan tente de me manipuler en essayant de me faire croire que c'est pour moi que les policiers sont là, pas pour lui. Mais il y dans le ton de sa voix une telle sincérité — surtout, une espèce de compassion pour son père, impossible à feindre — que je le crois. La police n'est pas là pour lui. En tout cas, il ne le pense pas. S'il avait tué quelqu'un, il saurait que c'est lui qui a la police aux fesses. Donc, il n'a tué personne. Aussi bien m'en assurer.

— C'est pas toi qui as tué Moisan ?

Jonathan éclate de rire.

— Bien non, qu'est-ce qui te fait penser ça ?

— Ton ailier gauche me l'a dit.

— Kim t'a dit ça ?

— Oui.

K. Nguyen s'appelle Kim, tout simplement. J'aurais dû m'en douter. En tout cas, je me souviens parfaitement qu'il a dit « C'est Jonathan. » Pourquoi m'aurait-il menti ? La raison m'est aussitôt évidente :

— C'est Kim, d'abord.

— Kim qui quoi ?

— Kim qui a tué Moisan.

Il y a un long moment de silence. J'ai deviné juste. Et si Kim ne s'est pas enfui comme nous, il est arrêté à l'heure qu'il est. En nous dépêchant, nous pouvons rentrer au motel à temps pour attraper l'autobus de l'équipe et rentrer à Saint-Zéphyrin.

— Non, ça peut pas être Kim, affirme Jonathan avec toute la conviction nécessaire pour tenter de convaincre son père que son meilleur copain n'est pas un assassin.

— Pourquoi ? Tu sais qui l'a tué ?

— Non.

— Qu'est-ce qui te fait dire ça ?

Autre long silence. Est-ce que Jonathan hésite à avouer qu'il était là, que même s'il n'a pas frappé sur la tête de Don Moisan, il n'a pas moins participé au meurtre d'une manière ou d'une autre ? Pas du tout. Il murmure :

— Kim, c'est une fille.

Là, c'est à mon tour de me taire. Pas longtemps, puisque je demande :

— Tu es sûr ?

— Que c'est une fille ? Oui.

Bien sûr qu'il en est sûr. Des garçons dans un vestiaire d'équipe de hockey, ça ne peut pas faire autrement que se voir les uns les autres.

Kim, une fille ? C'est vrai qu'il ou plutôt qu'elle a plus l'air d'une fille que d'un garçon. Une seconde, mais une seconde seulement, je vous le jure, je regrette de ne pas avoir accepté son offre de pipe.

Qu'est-ce que ça change, que Kim soit une fille ? C'est évident, pour Jonathan (et pour moi, après trente secondes de réflexion) : une fille ne tue pas un homme à coups de batte de baseball. Cherchez dans Google ou dans YouTube, en français ou en anglais : « fille tue homme avec batte de baseball », et vous ne trouverez rien. Même pas besoin d'aller voir pour le savoir.

Où j'en suis, maintenant ? Debout le long d'une voie ferrée, avec de l'autre côté de la clôture mon fils qui n'est pas un assassin comme je l'imaginais. Ce n'est donc pas après lui que la police en a. Après moi, plutôt ? Même si je n'ai plus de voiture, j'ai gardé comme de précieux souvenirs une pile de contraventions impayées, mais on n'envoie pas trois voitures de police pour ça. Ce salaud d'instructeur des Huards m'aurait dénoncé pour avoir incité mes joueurs à la violence ? Ça ne tient pas debout, mais ce ne serait pas la seule ni la plus grande erreur judiciaire de l'histoire de l'humanité. Ce salaud savait sûrement où les Z logeaient pour la nuit.

Si c'est ça, la police ne peut pas me faire grand-chose : m'interroger, puis me libérer sous promesse de comparaître. Il faudra que je demande à Colombe de payer la caution s'il y en a une. Elle va râler. Si je demandais plutôt à mon père ? Je ne lui ai pas parlé depuis dix ans. En principe, ce serait une bonne façon de reprendre contact : lui annoncer que je suis instructeur de hockey et que j'ai été arrêté dans l'exercice de mes fonctions. En pratique, je doute qu'il sorte un sou pour me sortir du trou.

De toute façon, je ne risque pas grand-chose si c'est moi que la police recherche. Et je commence à douter que nous trouverons d'ici peu une ouverture dans cette damnée clôture si nous continuons dans la même direction.

— Allez, on retourne au motel.

— Tu vas te livrer à la police ?

— Oui.

— Qu'est-ce que tu as fait ? insiste mon fils.

— Je peux pas te le dire.

— Je comprends.

Il a l'air convaincu que je suis l'assassin de son ex-entraîneur. Pourquoi ne pas le laisser le croire pendant quelques minutes ? Je parie que ça me fait monter dans son estime. Je vais redescendre d'autant bientôt, s'il apprend que c'est pour des contraventions qu'on me court après. Mais en attendant, ça nous fait du bien à tous les deux.

Jonathan passe par-dessus la clôture dans ce sens-là aussi facilement que dans l'autre et nous continuons à marcher, moi devant.

Nous retrouvons le sentier.

Il est presque huit heures quand nous arrivons en vue du motel. Les voitures de police ne sont plus là. Je sors la clé et j'ouvre la porte de la chambre 19, la plus proche. Kim n'y est pas. Ses bagages non plus. La chambre 18 est verrouillée. Jonathan n'a pas la clé. Je lui demande de frapper en criant, mais pas trop fort.

Pas de réponse.

— L'autobus est parti, dit Jonathan.

Je me retourne. Il a raison : l'autobus n'est plus là. Il était garé près de la réception du motel, sans doute pour éviter de prendre des places de stationnement devant les chambres.

L'aphasique est donc parti avec le reste de l'équipe. Jonathan me suit jusqu'à la porte de la réception.

J'entre. Personne. Je tape sur la clochette. Une femme s'approche. Mexicaine ou autre variété de Latino-Américaine, plutôt jeune et plutôt jolie.

— Tout le monde est parti ?

— Oui. Tout est payé.

— La police a arrêté quelqu'un ?

Elle éclate de rire. Et rigole encore un bon moment. Pour la faire arrêter, je dis :

— Je vois pas ce qu'il y a de drôle.

— Ils viennent ici pour fumer une cigarette ou deux. Ils achètent des cafés au Tim Hortons, de l'autre côté de l'autoroute. Mais ils les boivent ici pour que personne les voie fumer.

J'ai réveillé mon fils au milieu de la nuit, je l'ai traîné à travers une forêt en risquant de me casser la gueule avec mes semelles de cuir, pour une bande de flics affligés de tabagisme ?

— En plus, il y en a un qui m'aime bien, ajoute la femme qui rougirait si elle n'était pas déjà plutôt foncée.

— C'est très bien, dis-je comme si elle avait besoin de ma permission. Viens, Jonathan, on va téléphoner.

Il me suit sans me demander à qui. Il a deviné que c'est à sa mère.

Colombe accepte les frais.

— Qu'est-ce qui se passe ?

— Je suis avec Jonathan, tout va bien.

J'espérais que ça suffirait à la calmer. Pas vraiment.

— Où est-ce que vous êtes ? Beauchemin vient de me téléphoner que vous étiez disparus et que l'autobus rentrait sans vous.

— On est encore à Morinville, à côté du motel
MoreInnTown.

— Qu'est-ce qui vous est arrivé ?

— Rien. Je t'expliquerai. Mais faudrait que tu
viennes nous chercher. J'ai pas assez d'argent pour
l'autobus. Je sais même pas s'il y en a.

— J'arrive.

Elle est vraiment très bien, Colombe. Je ne regrette
pas de m'être marié avec elle, seulement de ne plus
l'être. Toujours prête à aider tout le monde. Je parie
que si j'étais ici tout seul, elle sauterait quand même
dans sa Honda. Je demande à Jonathan :

— As-tu un peu d'argent ?

— J'ai douze dollars.

— On va aller déjeuner.

Nous passons au-dessus de l'autoroute par le
viaduc et entrons dans le Tim Hortons.

Nous mangeons nos beignes en silence. J'aurais
envie de demander à Jonathan s'il est amoureux de
Kim. Je suis prêt à parier que oui. Tant que je pensais
que c'était un garçon, je trouvais que c'était un joli
garçon. Mais comme fille, elle est encore mieux. Dix
fois mieux, parce que ce n'est plus gênant qu'il soit
efféminé, bien au contraire. Mais je ne vois pas comment aborder ce sujet-là avec mon fils. Ce n'est pas
de mes affaires. Si je lui demande si Kim est sa blonde,
il y a une chance sur deux pour qu'il réponde non,
qu'elle le soit ou pas. Pour un ado, les histoires
d'amour c'est ce qu'il y a de plus personnel. Je pourrais lui demander s'il consomme de l'héroïne, et
j'aurais plus de chances d'avoir une réponse franche.

Et lui, je gage qu'il aurait envie de me demander si je vais me remettre avec Colombe un jour. Je lui répondrais non, même si je ne demanderais pas mieux. Elle est toujours belle et bandante. Et si j'avais réfléchi plus loin que le bout de mon nez, je ne l'aurais jamais trompée. Au moins, j'aurais fait plus attention pour ne pas me faire surprendre. Mais comment j'aurais pu savoir qu'il y aurait une panne d'électricité à la Cage aux Sports de Taschereau pendant que j'étais au lit avec sa stagiaire ?

Maintenant que je suis chômeur et ruiné, ce n'est pas le temps d'aborder la question, pas plus avec elle qu'avec notre fils. J'aurais l'air de quoi ? Du type paumé qui veut retourner chez son ex, en attendant de se refaire et de se remettre à la tromper ?

Je prends un deuxième café. Jonathan refuse un autre chocolat chaud. Ça me fait plaisir qu'il ne boive pas de café. Ça prouve que c'est encore un enfant. Je ne sais pas si vous avez des ados, mais c'est plus difficile à aimer que des enfants. Et ce matin, j'aime mon fils comme je l'ai toujours aimé quand il était enfant, parce qu'il l'est encore un peu. Pourvu que ça dure.

Une petite famille entre dans le restaurant : le père, la mère, une fillette, un fils du même âge que Jonathan. Le père m'aperçoit et se dirige vers moi :

— Maudit cochon. On devrait appeler la police.

— Fais donc ça.

Je plaisantais, mais le type sort son cellulaire. Est-ce qu'il y aurait jusqu'à Morinville des rumeurs sur les pratiques sexuelles de l'entraîneur des Z, et il me prendrait pour Don Moisan parce qu'il m'a vu à l'aréna, hier soir ? Mieux vaut ne pas traîner ici.

— Viens, Jonathan, on s'en va.

Il est presque onze heures. Colombe en a encore pour au moins une heure avant d'arriver. Et nous n'avons plus rien à nous dire, Jonathan et moi, après avoir épuisé au restaurant quelques sujets de conversation anodins, depuis la probabilité de pluie (je prédis des éclaircies, alors que Jonathan voit de la pluie approcher) jusqu'aux chances des Canadiens de gagner la coupe Stanley (elles sont nulles, selon moi, et excellentes d'après Jonathan, mais les ados ont tendance à prendre leurs rêves pour des réalités).

Nous retournons nous planter devant le motel, à côté de la cabine téléphonique.

— Elle devrait être là dans moins d'une heure.

Je parle de Colombe, mais j'aurais aussi bien pu parler de la pluie, puisqu'il se met à pleuvoir. Jonathan a un blouson à peu près imperméable et il insiste pour que ce soit moi qui me réfugie dans la cabine avec mon veston en laine synthétique. Si Colombe arrive et nous voit sous l'averse, moi dans la cabine et lui dehors, de quoi je vais avoir l'air ? Je refuse.

La Latino fait de grands gestes pour nous inviter à nous réfugier dans le hall d'entrée du motel. Qu'est-ce que Colombe va penser si elle me trouve en compagnie d'une jolie jeune femme à la peau foncée ? Je lui fais signe que j'attends un appel dans la cabine. Je dis à Jonathan :

— Tu peux aller attendre dans le motel, si tu veux.

— Non, il pleut pas tellement.

Je dirais qu'il pleut modérément. Mais l'été des Indiens vient de se terminer et c'est une pluie froide de fin d'octobre qui a tôt fait de pénétrer mon veston et ma chemise. Je dois faire des efforts pour garder une allure stoïque.

Voilà enfin une Honda verte qui s'approche et s'arrête devant nous. J'ordonne à Jonathan :

— Monte devant.

— Non, toi.

Pour lui, c'est naturel que son père et sa mère s'assoient côte à côte dans la voiture. Il doit même s'imaginer que si nous passons trois heures comme ça, nous allons nous recoller ensemble.

Je ne demanderais pas mieux, mais il n'y a pas une chance sur un million. Colombe me raconte, avec sa fureur habituelle lorsqu'elle trouve que j'ai fait une connerie et c'est souvent le cas, l'inquiétude qu'elle a vécue ce matin en apprenant que j'avais disparu avec Jonathan. Elle a même songé à appeler la police, parce qu'elle pensait que j'avais pu enlever Jonathan et traverser la frontière. Je proteste :

— Il aurait jamais voulu.

— C'est ce que tu penses ?

Là, elle me fait un immense plaisir. Serait-il possible que Jonathan ait envie non seulement de vivre avec moi, mais encore de partir loin de sa mère ? Pourquoi pas ? Je ne sais pas comment ils s'arrangent, ensemble toutes les soirées — et la journée en plus, un week-end sur deux. On dira ce qu'on voudra, mais les garçons ne sont pas faits pour vivre tout seuls avec leur mère, dès que l'adolescence du gars leur tombe dessus à tous les deux. Le père — même le pire, c'est-à-dire moi — est moins contraignant. Par exemple, je n'insiste pas pour que Jonathan fasse son lit avant de retourner chez sa mère. Ça lui évite d'avoir à le défaire à son retour, douze jours plus tard.

Colombe recommence, pour la cinquième ou sixième fois, mais toujours en des mots différents et en prenant un nouvel angle (par exemple, en me narrant ce qu'elle a dit à sa mère au téléphone), à me raconter son matin d'enfer, à commencer par ce téléphone de Beauchemin qui lui a évidemment révélé que j'avais été instructeur pour un soir (« Toi qui haïs tellement le hockey, j'ai pensé qu'il se payait ma tête ») et que j'avais été chassé du match.

— Je savais que ça finirait mal. Ne me refais plus jamais un coup pareil.

Je ne vois pas comment je pourrais, même si je voulais. De toute façon, je ne vois pas non plus de quelle manière ça finit si mal. Nous sommes là, dans la Honda, vivants quoique trempés, même pas poursuivis par la police. Je mets le chauffage au maximum. Colombe étire pendant une seconde la main pour le baisser, mais se ravise et n'y touche pas. Elle n'est pas si fâchée qu'elle en a l'air.

Et tout à coup j'ai envie de me plaindre, moi aussi. Qu'est-ce qu'elle imagine ? Que j'ai passé la nuit dans un bar à reluquer des danseuses nues ? Je dis simplement, pour me venger aussi :

— On a quitté le motel, parce que je pensais que Jonathan avait assassiné son instructeur. Et Jonathan pensait que c'était moi qui l'avais fait.

Ça lui en bouche un coin. Pendant au moins cinq minutes (disons plutôt deux, mais ça a l'air d'en être dix), elle ne dit rien.

J'en profite pour l'examiner du coin de l'œil. Elle n'a pas vieilli. Il y a cinq ans, je lui aurais donné le même âge qu'à moi. Maintenant, on lui en donnerait dix de moins. Comme si j'avais gagné quinze ans et elle, en avait perdu cinq. (Refaites mon calcul ; si je me suis trompé, l'essentiel est que vous compreniez.) Je dirais même qu'elle est plus sexy qu'avant. En vieillissant, beaucoup de femmes deviennent plus élégantes, mais rares sont celles qui deviennent plus bandantes. Si je ne la connaissais pas et la rencontrais dans un bar, j'aurais envie de lui faire du plat dans l'espoir de la sauter dans les plus brefs délais. Si vous voyiez sa jambe droite, toute mince, tendue vers l'accélérateur sous la jupe relevée jusqu'à mi-cuisse, vous la désireriez, vous aussi.

Après son long moment de silence, Colombe réplique avec ce qui ressemble à de la colère contenue :

— Tu imagines Jonathan prendre un bâton de baseball, en donner une dizaine de coups sur la tête d'un homme comme Don Moisan ? Et ensuite casser le bâton puis lui rentrer dans le cœur les éclisses du manche pour s'assurer qu'il est bien mort ?

Je secoue la tête. Non, Jonathan n'est pas assez costaud pour ce genre de boulot. Kim non plus, d'ailleurs, parce que j'ai aussi pensé que ça pourrait être elle. Mais une ado ne fait pas des choses pareilles. Oui, un coup de batte sur la tête d'un agresseur sexuel pendant qu'il s'attaque à elle, ce n'est pas absolument impossible. Mais ensuite casser le bâton et entrer la tige dans le cœur d'un homme ? Non. Je ne vois ni Jonathan ni Kim faire ça. Pas seulement à cause de la force que ça prend. Il faut surtout de la rage. Et une rage méthodique. Ça prend un adulte. Un adulte en colère.

Je parie que vous y avez pensé avant moi : Colombe ! Vous avez raison : ça pourrait être Colombe. Elle est en forme. Elle a fait un demi-marathon l'été dernier. Ce n'est pas pour rien qu'elle est si bien conservée. Et elle est forte. Je le sais, elle m'a giflé deux ou trois fois avant de me mettre à la porte.

Mais le plus incriminant, c'est ce qu'elle vient de dire. Moi, tout ce que je savais, c'est que Don Moisan a été tué à coups de batte de baseball. Elle dit qu'il a été achevé avec un bâton enfoncé dans le cœur. Comment le sait-elle ? J'ai une idée pour tirer ça au clair :

— C'était où ?

Elle tombe dans le panneau que je lui ai tendu en espérant qu'elle ne se laisserait pas prendre à un piège aussi grossier :

— À côté de la porte de son garage, derrière chez lui. Il est sorti de son auto pour l'ouvrir, et c'est là qu'il a été agressé par quelqu'un qui s'était caché dans les buissons.

Misère ! C'est ce que je craignais : elle le sait. Elle sait comment. Elle sait où. Elle sait tout. Parce que c'est elle. Ça ne peut être qu'elle. Elle apprend, par Jonathan ou autrement, que Don Moisan agresse son fils sexuellement. Moi, j'aurais appelé la police. Risquer de passer des années en prison en assassinant un salaud pareil ? Très peu pour moi. Colombe est capable du même raisonnement, mais elle a un tempérament fougueux. En plus, une mère écope moins qu'un homme pour un crime pareil. Et les prisons des femmes sont bien mieux que celles des hommes, j'en ai vu une à la télé : pas un hôtel cinq étoiles, mais au moins trois, mieux en tout cas que le MoreInnTown. Elle a décidé d'assassiner Moisan sans autre forme de procès. Non, ce n'est pas vrai : moi aussi, je pense que j'aurais pu le tuer. Quand j'ai appris qu'il s'en prenait à Jonathan, j'aurais sans doute eu envie de l'assassiner s'il n'avait pas été déjà mort. La preuve : je me réjouis de sa mort. Je suis sûr que je m'en réjouirais encore plus si c'était moi qui l'avais tué.

J'ai envie de féliciter Colombe. De la remercier, tant qu'à faire. Pourquoi ne pas lui dire simplement « Tu as bien fait. Moi, si je l'avais su avant, c'est ce que j'aurais fait. » ? Mais je la connais : elle va répondre « De quoi tu parles ? ». Elle n'avouera jamais. En partie parce qu'elle ne me fait pas confiance. Elle sait que j'ai du mal à garder un secret. Aussi parce que Jonathan est là, sur la banquette arrière. Une mère ne peut pas avouer devant son fils qu'elle a tué quelqu'un, quand bien même ce serait l'homme qui l'a agressé. Rien de tel pour briser le lien de confiance mère-ado, si difficile à établir, si fragile et essentiel. D'autant plus qu'on ne sait jamais quels rapports ont pu se tisser entre Jonathan et Don Moisan. Il y a peut-être dans des cas pareils une variante du syndrome de Stockholm qui fait qu'un enfant pourrait, plus ou moins consciemment, en vouloir à mort à un de ses parents qui aurait assassiné son agresseur. En plus, si Colombe s'ouvre à lui, elle va en faire son complice. Pourrait-il être accusé de complicité après le fait ? Et moi ? Mieux vaut se taire. C'est ce que je ferais à la place de Colombe.

Nous roulons dans un silence lourd. Je dis, pour tenter de soulager l'atmosphère et aussi parce que cela ressemble à des félicitations sans que ça paraisse trop :

— Il a eu ce qu'il méritait.

L'atmosphère ne s'allège pas d'un micropascal ou de toute autre unité de mesure de l'atmosphère.

5

Nous quittons l'autoroute à la sortie de Saint-Zéphyrin. Il y a là un poste d'essence où le litre de précieux liquide coûte deux ou trois sous de moins qu'à la station-service du vieux Caron, au centre de la ville, au seul carrefour affligé de feux de circulation. Presque personne ne fait le plein chez lui, même quand le feu tourne au rouge. On n'y va que pour gonfler gratuitement les pneus de son vélo (ici, ça coûte un dollar).

Colombe s'arrête devant les pompes sans rien dire parce que c'est évident qu'elle veut faire le plein. Elle sort de la voiture. Moi aussi, et je me hâte de prendre le pistolet de la pompe avant qu'elle s'en empare. Il ne me reste qu'une dizaine de dollars (ceux de Jonathan ont suffi pour payer le Tim Hortons). Comme je n'ai pas assez pour rembourser l'essence qu'elle a utilisée pour venir nous chercher, le moins que je puisse faire, c'est me montrer serviable. Mais elle me prend le pistolet des mains.

— Je suis capable, dit-elle.

Comme elle voudra. De toute façon, j'ai envie de pipi. Dans dix minutes, je serai chez moi, où c'est quand même plus propre. Mais j'ai vraiment très envie, à cause des deux cafés.

Quand je remonte dans la voiture, Colombe est dans la cabine, en train de payer avec sa carte de crédit.

Jonathan ne dit rien. Moi non plus. Je m'efforce de ne pas le regarder. D'autant plus que du siège du passager je ne peux pas le voir dans le rétroviseur intérieur. Je lui demande quand même, pour faire la conversation :

— Dis donc, c'est quoi, le nom de ton équipe ?

Il ne répond pas. C'est à moi de le deviner.

— En tout cas, ça commence par un Z. Les Zéphyrs ? Ça fait dur. Les Zéniths ? Les Zéros ? Les Zappeurs ?

J'essaie de le faire rire. Mais il ne rigole pas du tout. Même que je m'en veux d'avoir pris un ton moqueur. Il y a des jours comme ça, dans la vie d'un ado, où rien n'est moins drôle que l'humour paternel.

Colombe s'installe au volant, achève de ranger carte de crédit et reçu dans son sac à main, et nous repartons.

— Je te dépose chez toi ?

— Si tu veux.

Il est presque trois heures de l'après-midi, elle habite tout près et j'aurais aimé qu'elle m'invite chez elle à prendre un verre ou à casser la croûte. Je n'ai rien mangé depuis les beignes de Morinville et mon frigo est presque vide, comme d'habitude. Tant pis.

Les douze kilomètres qui séparent Saint-Zéphyrin de Saint-Camille sont vite franchis. Colombe ralentit devant chez moi, met son clignotant gauche, jette un coup d'œil au rétroviseur pour s'assurer que personne n'arrive trop vite derrière, et dit simplement :

— Merde !

Elle tourne à gauche et fait sans s'arrêter le tour des pompes abandonnées. J'ai compris avant même de me retourner : Jonathan n'est plus là. Il nous a fait faux bond au poste d'essence, à la sortie de l'autoroute.

— Je gage qu'il est chez Kim, suppose Colombe. C'est tout près de chez moi.

Je dis, pour faire celui qui sait tout :

— Tu sais que Kim, c'est une fille ?

— Bien oui, tout le monde le sait. Sauf les joueurs des autres équipes, mais paraît qu'il y en a qui le savent, maintenant. Jonathan me dit que les autres jouent de plus en plus cochon, avec elle. Et pas juste parce qu'elle est meilleure.

Je n'ai jamais été joueur de hockey, sauf pendant deux parties dont je n'ai aucun souvenir précis, mais il me semble que moi aussi, si je jouais contre une fille qui est meilleure que moi, je serais tenté d'essayer de la faire passer par-dessus la bande en lui mettant mon bâton entre les jambes.

Comme Colombe (et comme moi il y a six mois), la famille de Kim habite une maison de banlieue, dans une rue qui ressemble à une rue de banlieue, dans un quartier qu'on appelle le Chinatown, même si n'habitent là que des Québécois de souche, des Vietnamiens pure laine et quelques fruits du mélange des deux. Une jolie dame pas du tout asiatique répond rapidement à notre coup de sonnette et nous tend le sac d'équipement de Jonathan, convaincue que c'est ce que nous venons chercher.

— Vous avez vu Jonathan ? demande Colombe.

— Il est venu chercher Kim et m'a dit de vous remettre son sac. C'est Kim qui l'a rapporté.

Je le prends.

— Où ils sont passés ? demande encore Colombe.

— Je sais pas.

La mère de Kim tend le cou pour balayer la pelouse des yeux.

— Ils sont partis à vélo. Ça doit faire dix, quinze minutes.

— Merci.

Nous repartons. J'ai une idée :

— Laisse-moi chez moi. Je vais prendre mon vélo et aller faire un tour sur la piste cyclable.

— Bonne idée, acquiesce Colombe.

Je suis fier de moi. Impossible, en voiture, de rouler sur la piste cyclable, qui est le premier endroit à explorer quand votre enfant disparaît à vélo avec une copine.

Après être monté chez moi pour m'assurer que Jonathan n'y était pas, j'ai remplacé mon veston par mon vieux blouson de cuir et j'ai pédalé le plus vite que je pouvais les dix kilomètres de la piste cyclable qui relie Saint-Camille à Saint-Zéphyrin. Passé Saint-Zéphyrin, elle continue jusqu'à Taschereau, mais Kim et Jonathan n'ont aucune raison d'aller par là. Je suis parti de l'autre extrémité, là où la piste s'arrête au pied des collines boisées, juste derrière Saint-Camille, tout près de la Vache géante. Je n'ai pas vu le vélo de montagne jaune de Jonathan (je l'ai choisi jaune parce que c'est dans Jonathan, mais il n'a pas trouvé particulièrement drôle mon « À Jaunathan » sur la carte de vœux de son quatorzième anniversaire).

En fait, je n'ai pas vu un seul vélo à part le mien. Il a cessé de pleuvoir depuis une heure ou deux, mais à la fin d'octobre, la piste est toujours déserte. Où sont passés Jonathan et Kim ? Je n'en sais rien, et ça ne me tracasse pas trop. En fait, je m'inquiète beaucoup plus de Colombe.

Parce que plus j'y pense, plus je suis convaincu que c'est elle qui a tué ce salaud de Don Moisan. Et je n'ai pas du tout envie qu'elle se fasse arrêter. Dans le fond, ce serait bien plus simple si c'était moi. Je suis chômeur et père médiocre, alors que Colombe gagne bien sa vie et élève toute seule notre Jonathan, bien mieux que je ne pourrais le faire. Je m'imagine, si Colombe devait aller en prison pour un an ou deux : il faudrait que je me trouve un boulot, que j'apprenne à cuisiner, que je m'occupe de Jonathan en plus de travailler. Je suppose que je finirais par y arriver. Mais pas sans mal pour mon fils, ni pour moi.

Le mieux, ce serait effectivement qu'on me condamne, moi. Sûrement pas pour une longue peine — un an, deux ans, pour l'assassinat de l'instructeur qui a agressé sexuellement mon fils, Kim et peut-être plusieurs autres joueurs de l'équipe.

Le mieux du mieux, ce serait qu'on me donne une peine avec sursis, à purger dans la communauté. Je suis prêt à faire n'importe quoi, pourvu que ça n'ait rien à voir avec le hockey. Ramasser les canettes de bière le long de la route, débroussailler le parc de la Vache, qui n'a rien d'un parc tellement il est envahi par les broussailles. Même repeindre la Vache qui commence à être vachement rouillée, s'ils sont prêts à fournir la peinture et les pinceaux.

Et si je parviens à me faire accuser de meurtre, il y a mieux encore : Colombe me sera éternellement reconnaissante de lui avoir épargné un procès et une peine de prison, qui serait sans doute moins sévère pour elle, mais c'est justement une raison supplémentaire de m'en remercier. J'ai le droit de rêver : pourquoi on ne reprendrait pas la vie commune à ma libération ? Je lui jurerais fidélité, et je crois que j'en serais capable — passé quarante ans, ça devrait devenir plus facile.

J'admets que ça n'a pas l'air rigolo, une vie comme ça. Mais bon, celle que je mène aujourd'hui n'est pas désopilante non plus. Et puis j'aurais l'impression d'être un héros. Non, pas seulement l'impression : je serais un héros. Indiscutablement. Un homme qui se sacrifie pour sa femme et son enfant.

Je quitte la piste cyclable et je pédale ensuite à travers le centre de Saint-Zéphyrin avant de m'arrêter devant le poste de la Sûreté du Québec. Je laisse tomber mon vélo sur l'asphalte du stationnement.

Pas besoin de l'attacher à un poteau de téléphone avec la chaîne et le cadenas. Personne n'est assez fou pour voler un vélo au nez de la police. Et puis, si quelqu'un part avec, je m'en fous. En prison, on fait de la musculation, pas de la bicyclette.

Je pousse la porte et m'avance vers le comptoir. Je toussote pour attirer l'attention d'une jeune femme en uniforme, assise devant un écran d'ordinateur. Elle lève les yeux vers moi.

— Je viens pour le meurtre de Don Moisan.

— Assoyez-vous là.

Elle désigne une rangée de chaises dont une est déjà occupée.

— C'est très urgent, dis-je parce que je redoute qu'un assassin qui veut se dénoncer mais néglige de l'annoncer soit forcé de faire le pied de grue dans un poste de police aussi longtemps qu'un mourant dans la salle d'urgences d'un hôpital.

— Tout est toujours urgent tout le temps pour tout le monde, dit la femme sur le ton méprisant de la personne qui s'imagine avoir affaire à une vulgaire victime de vol de voiture.

Je décide de ne pas en dire plus. J'ai envie de me confesser — une fausse confession n'en demeure pas moins une confession —, mais à quelqu'un de réceptif, pas à une jeune femme qui me traite de haut comme si je lui offrais un verre dans un bar. Je m'assois à côté d'un type de mon âge. Il semble nerveux et tripote une cigarette qu'il ne fume pas. Je ne vois pas d'interdiction de fumer, mais ce n'est sûrement pas permis dans un poste de police dans la deuxième décennie du vingt-et-unième siècle. J'aurais envie d'engager la conversation avec lui, mais une porte s'ouvre, un homme sort — dans les trente-cinq, quarante ans lui aussi — et mon compagnon d'attente entre à sa place.

Je regrette de ne pas avoir apporté un livre ou mon lecteur MP3. De toute façon, je dois réfléchir à ce que je vais dire. Et juste comme j'ai à peu près décidé, la porte s'ouvre encore, mon prédécesseur sort et un policier en civil me fait signe d'entrer.

Je m'assois devant un grand type à lunettes. Soit plus jeune que moi, soit de mon âge et en meilleure forme.

— Lieutenant-détective Provençal, dit-il même s'il y a sur son bureau une plaquette avec son nom : Lt-dét. S. Provençal.

Je me présente à mon tour.

— Antoine Groleau.

— Je sais.

Je le reconnais. Il m'a déjà arrêté pour excès de vitesse. Il était en uniforme, dans ce temps-là. Je suppose qu'il a eu une promotion pour être maintenant en civil. Ça me rassure : les agents patrouilleurs ont des examens à passer pour devenir enquêteurs. Mon policier a donc toutes les chances d'être moins incompétent que la moyenne.

— Qu'est-ce que je peux faire pour vous ? demande-t-il avec une pointe d'agacement compréhensible s'il se rappelle que je l'ai traité de maudit chien sale lors de mon arrestation.

Mais il a l'air crevé, comme s'il avait passé la nuit à travailler. C'est peut-être lui, le père policier dont m'a parlé Beauchemin ? S'il est fatigué, ce sera plus facile de suivre mon plan. J'attaque :

— C'est moi l'assassin de Don Moisan.

— Ah bon…

Il dit ça d'un ton blasé, comme s'il arrêtait des dizaines d'assassins toutes les semaines.

— Mon fils est dans son équipe de hockey…

J'aurais préféré dire « Mon fils joue pour les… » mais je ne connais toujours pas le nom de l'équipe.

— … et il m'a dit que son instructeur agressait sexuellement plusieurs joueurs. Pas lui, mais d'autres.

Vous avez compris que je veux éviter de révéler que mon Jonathan était de ceux-là. Il ne me pardonnerait pas de lui faire honte à ce point. Les victimes d'agression sont toujours comme ça. Surtout les garçons de quatorze ans. Je continue :

— Moi, les pédophiles, je peux pas supporter ça. J'ai été agressé, quand j'étais petit.

Ce n'est pas vrai, mais ça me donne de la crédibilité. Quoique, à bien y penser, les agresseurs aussi sont souvent d'anciennes victimes et ça risque de faire soupçonner que j'en suis un. Mais il est trop tard pour rattraper cette bourde, si bourde il y a eu.

— Et comment vous vous y êtes pris, pour le tuer ?

— J'étais pas capable de dormir après les révélations de mon fils, qui m'a dit où son instructeur habitait…

— C'est quelle adresse, déjà ?

— J'ai oublié. Il m'avait juste montré la maison une fois, quand on est passé devant. J'ai pris mon bâton de baseball et je suis allé l'attendre, caché derrière son garage. Quand il est arrivé, j'ai attendu qu'il

sorte de son auto. Et j'ai sauté dessus avec mon bâton,
que je lui ai cassé sur la tête. Après, j'ai pris le bout
du bâton brisé et je lui ai rentré dans le cœur pour
être bien sûr qu'il était mort pour de bon.

— Vous pouvez me donner plus de détails?
Comment il était habillé, par exemple?

C'est le défaut de mon témoignage, que j'ai préparé
de mon mieux en roulant à bicyclette et en attendant
devant la porte du lieutenant Provençal. Il me
manque des tas de détails. Je ne connais que ceux que
m'a donnés Colombe. Heureusement, j'ai prévu le
coup:

— Je vous dirai rien, tant que je serai pas en présence d'un avocat. Mais je peux signer une déclaration,
si vous voulez.

— Non, c'est pas la peine.

Nous nous taisons tous les deux. Il n'a pas noté
un mot de ce que je lui ai dit. Il garde ça pour l'inter-
rogatoire. Il aura une sténographe, une caméra, tout
ce qu'il faut pour me tirer les vers du nez en s'assurant
que mon témoignage tiendra le coup devant un juge
même si je décide de tout nier en cour. Les criminels
font tous ça et je ferai pareil pour renforcer ma crédibilité même et surtout si mon avocat me dit que je
ne devrais pas.

Pour le moment, il faut que j'esquive les détails.
Je n'ai jamais vu Don Moisan. Je ne sais pas s'il est
grand, gros, vieux, jeune, moustachu ou barbu. Il faut
absolument que j'essaie de faire parler le lieutenant,
pour ensuite lui répéter ce qu'il m'aura dit sans qu'il
s'en aperçoive. Pas facile, mais pas impossible si je

me concentre. Quand on veut être un héros, il faut en payer le prix et ça exige des efforts prodigieux.

Après un moment à soutenir mon regard comme s'il essayait de lire dans mes pensées, il baisse les yeux et soupire sur un ton de lassitude extrême, comme s'il s'apprêtait à me demander une augmentation de salaire pour cause d'épuisement :

— Mais qu'est-ce que vous avez donc tous, aujourd'hui ?

Je ne sais pas qui sont ces « tous » dont il parle. Il va me l'expliquer :

— Vous savez que vous êtes le cinquième ? Je devrais vous faire arrêter pour entrave au travail de la police.

Moi, j'entraverais le travail policier ? Oui, c'est un peu vrai, puisque je suis en train d'essayer de détourner vers moi les soupçons qui pèsent sur ma femme. Mais comment peut-il en être sûr ? Il ne tarde pas à me le dire :

— Je perdrai pas mon temps à vous tirer les vers du nez. Je vais vous le dire, tout de suite, ce que vous avez dans le nez. Jeudi dernier, plusieurs joueurs de l'équipe de votre fils se sont réunis et ils ont décidé de parler à leurs parents. Deux d'entre eux se faisaient agresser sexuellement. Dont une fille qui se faisait passer pour un garçon parce que cette ligue de ban-tam B interdit aux filles de jouer dans les équipes de gars, même s'il y a pas d'équipe de filles plus haut que pee-wee. Ce qui a fait déborder le vase, c'est quand les garçons ont soupçonné que la fille était enceinte. Elle vomissait dans les toilettes de la chambre des joueurs. Ils ont décidé d'en parler à leurs parents,

mais en leur faisant jurer de garder le secret sur l'identité de la fille. C'était leur meilleur compteur, ils voulaient seulement se débarrasser de l'instructeur, de
préférence en le faisant envoyer en prison. Et Don
Moisan s'est fait tuer cette nuit-là à coups de batte de
baseball. C'était dans la nuit de jeudi à vendredi. Ce
matin, le *Carrefour du Sud-Ouest* a publié un article
mentionnant quelques détails. Et quelques craque-
potes comme vous ont trouvé que ça suffisait pour
venir jouer les héros en jurant qu'ils sont l'assassin.
Il y a même une femme qui a essayé de me le faire
croire, comme si une femme pouvait tuer un homme
comme ça. Vous l'avez déjà vu, Don Moisan ?

Il fait une petite pause en espérant que je secouerai
la tête. Je ne suis pas con au point de tomber dans le
piège, et je ne cligne même pas des yeux.

— Un sergent de la police militaire à la retraite. Six
pieds trois, deux cent quatre-vingts livres. Vous, il
vous aurait arraché votre batte de baseball et vous
l'aurait fait avaler par je sais pas quel bout.

Me voilà rassuré, tout à coup. Ce n'est pas
Colombe qui l'a tué. J'aurais dû le savoir. Elle n'a pas
une tête d'assassin. Moi non plus, faut croire.

Je risque une question, pour me réconforter totalement :

— Qu'est-ce que vous allez faire ?

Il ne me répond qu'après m'avoir adressé un sourire fatigué.

— Depuis deux ans, les motards des Devil's Own
nous donnent du travail vingt-huit heures par jour,
neuf jours par semaine. Ils ont étendu leur réseau

jusqu'ici, parce qu'ils commencent à avoir trop de problèmes à Montréal. Ils contrôlent la production et la distribution de toutes les drogues imaginables. Ils se sont lancés dans la prostitution, le prêt usuraire, même les fonds pyramidaux et les fausses factures. Sans compter la protection des restaurants. Il faudrait qu'on soit cent pour les combattre adéquatement. On est juste quatorze. Pensez-vous qu'on va perdre beaucoup de temps à chercher l'assassin d'un salaud de cochon de pédophile qui a mis une petite fille enceinte? Il y a vingt joueurs dans l'équipe. Chacun a un ou deux parents qui seraient parfaitement justifiés... Vous me jurez que vous parlerez pas aux journalistes?

Cette fois, je secoue la tête énergiquement. Pour être parfaitement clair, je fais le geste de fermer ma bouche avec une fermeture éclair.

— Je vous dis ça, mais à vous seulement, parce que je connais votre ex-femme. Répétez-le à personne. Une trentaine de pères et de mères auraient été parfaitement justifiés de tuer cette ordure. Avec un peu de chance, d'ici quelques mois, on va trouver un Devil's Own qu'on sera pas capables de faire condamner pour autre chose, et on va essayer de lui faire porter le chapeau. Tant mieux s'il est le père d'un joueur, mais c'est pas indispensable. C'est même possible qu'il plaide coupable pour mieux se faire voir de ses copains. Un type qui tue un pédophile, c'est un héros, pour ces gars-là, qui hésitent pourtant pas à forcer des filles de quatorze ans à se prostituer. Mais ça c'est une autre histoire. Puis si on trouve pas de coupable,

vrai ou faux, l'affaire sera classée. Ce sera pas la première fois. Ni la dernière.

Il ferme les yeux. Est-ce que c'est pour me faire
signe que notre conversation est terminée, ou parce
qu'il dort vraiment ?

Je pars sans faire de bruit.

6

JE RESSORS du poste de police tout ragaillardi. Je ne suis pas arrêté et encore moins condamné. Colombe non plus. Et le nom de Jonathan ne sortira pas dans les journaux.

Tout est bien qui finit bien. Je remonte à vélo. Mais je n'ai pas le temps de donner un coup de pédale, que la Honda de Colombe arrive en trombe dans le stationnement du poste de police et s'arrête devant moi. Je laisse encore tomber mon vélo et je m'approche. Elle baisse la vitre de son côté. Je m'apprête à annoncer joyeusement que tout est pour le mieux dans le meilleur des mondes. Mais elle ne me laisse pas ouvrir la bouche.

— Est-ce qu'ils les ont trouvés?

J'avais oublié un point noir dans mon bonheur total : Jonathan est disparu avec Kim. Kim, enceinte de son instructeur comme je viens de l'apprendre et je le raconterai à Colombe à la première occasion.

J'aime mieux que ce soit sa mère qui l'annonce à Jonathan s'il n'est pas au courant. En plus, j'ai oublié de parler à la police de la disparition de nos deux ados. Pas question que je l'avoue à Colombe. De toute façon, ils ne s'en occuperaient pas. J'ai vu des films américains dans lesquels ils ne recherchent personne — sauf les bébés — avant vingt-quatre heures de disparition. Ici, ça doit prendre au moins une semaine. Surtout quand ils sont quatorze au lieu de cent.

— Non, ils vont faire des recherches, mais ils sont débordés, avec les Devil's Own et Don Moisan par-dessus le marché. Des ados disparus depuis une heure ou deux, ça les intéresse pas.

— Viens, on va essayer de les trouver. Ils sont pas chez moi et je suis allée voir chez leurs amis. Ils sont pas là non plus.

J'abandonne mon vélo. De toute façon, l'hiver approche et si je reprends la vie commune avec Colombe, je n'en aurai plus besoin. Je monte à côté d'elle, qui me dit, dès que nous reprenons le chemin de Saint-Camille :

— À ton avis, comment est-ce que des jeunes pourraient se suicider, ici ?

— Quoi ? Se suicider ?

Elle doit tout m'expliquer.

— Jonathan et Kim sont amoureux.

Je n'y avais pas pensé. Je les savais copains, mais amoureux, ça ne m'étonne pas puisque Colombe le dit.

— Et puis après ?

— Tu as lu *Roméo et Juliette* ?

Je réponds oui, même si ça fait trop longtemps pour que je m'en souvienne, probablement parce que je ne l'ai jamais lu.

— Je serais pas étonnée qu'ils aient fait un pacte de suicide. Avec ces histoires de meurtre et tout le reste, je suis sûre qu'ils sont bouleversés.

Colombe a raison. Et encore, elle ne sait pas que Kim est enceinte de Don Moisan. Je lui dis ? Il me semble que je ne devrais pas. Elle continue :

— Si j'avais su...

— Si tu avais su quoi ?

Elle hésite. Elle n'a pas du tout envie de continuer. J'insiste :

— Su quoi ?

— Il y a cinq ou six mois, ça devait être en mars ou en avril, tu venais juste de déménager, Jonathan m'a demandé si Kim pouvait rester à coucher. Je lui ai dit non. Pas avant ses seize ans.

Vous ai-je dit que Colombe et moi, on a fait l'amour pour la première fois à dix-huit ans tous les deux ? Pas ensemble, mais au même âge. Moi, je ne me souviens pas avec qui, mais c'était sur la banquette arrière de la Buick du père de la fille. À mon avis, Colombe aurait préféré dire à Jonathan d'attendre encore quatre ans plutôt que deux. Mais elle a accepté ce qui était pour elle un compromis équitable : pas avant seize ans. Deux ans de gagné. Elle n'en est plus si sûre :

— Si j'avais accepté, ils seraient heureux, peut-être.

Je m'abstiens de protester que baiser fait plaisir mais ne rend pas nécessairement heureux, surtout les ados.

— Où tu irais, toi ? demande-t-elle.

— Où j'irais ?

— Si tu voulais te suicider avec ta petite amie ?

Je n'en sais rien. Je n'ai jamais eu envie de me sui-cider. Pourtant, j'aurais pu. Peut-être même dû, quand Colombe m'a mis à la porte la même semaine que j'ai appris que Saturn allait disparaître et Pontiac aussi.

Si je voulais me suicider, je pense que j'essaierais de me noyer. En sautant du pont de la rivière Châteaubriand, en plein milieu de Saint-Zéphyrin, vers quatre heures du matin quand personne ne pour-rait me sauver sans me demander mon avis. Je ne sais pas nager et il me semble que c'est un moyen de mou-rir pas trop douloureux. On avale de l'eau. Et ça doit être fini en deux ou trois minutes, sauf si on a le mal-heur de faire ça devant un bon samaritain qui vous ramène sur la rive et vous fait du bouche à bouche. Mais Jonathan nage comme un poisson. Je l'avais ins-crit au club de natation en espérant que ça l'éloignerait du hockey. Ça n'a pas marché longtemps, mais il a appris à nager et ça ne s'oublie pas, c'est comme aller à vélo. Et je parie que si on saute à l'eau pour mourir quand on sait nager, le réflexe de la survie prend le dessus, et c'est raté.

Jonathan n'a pas d'auto, donc pas de gaz carbo-nique à sa disposition. Ni de pilier de viaduc sur lequel foncer. Pas de poison, que je sache. Ni moi ni sa mère ne prenons de médicaments. Et il me semble impos-sible que deux ados se tuent en avalant les pilules anti-conceptionnelles de Colombe, si elle en prend encore à trente-neuf ans. Nous n'avons pas de cuisinière à

gaz. Il n'y a dans les environs aucune falaise du haut
de laquelle sauter. Se jeter sous un train ? Le chemin
de fer a été transformé en piste cyclable, depuis
Taschereau jusqu'à la Vache. Tiens, justement, il y a
la Vache, et je dis :

— La Vache.

— La vache ?

— Oui, la Vache.

Colombe a compris et nous voilà qui fonçons à
fond de train sur la route de Saint-Camille.

Vous vous demandez bien de quelle vache il s'agit.
Je vais tout vous expliquer, même si je vous en ai déjà
glissé un mot, et ça va me donner l'occasion de vous
donner un cours d'histoire de mon village, dont vous
ne voudriez rien savoir en d'autres circonstances.

Camille Simoneau a été le premier agriculteur à
s'installer à Saint-Camille-de-Holstein, aux environs
de 1905. Ça ne s'appelait pas comme ça dans ce
temps-là. Ça ne s'appelait rien du tout. Quand la
paroisse a été formée, vers 1916, avec l'afflux de
jeunes citadins qui voulaient fuir une éventuelle
conscription, le curé a voulu rendre hommage à son
paroissien le plus illustre, parce que Camille Simoneau
avait été le premier à prouver qu'on pouvait survivre
et prospérer dans un endroit pareil où seul le foin
pousse en abondance. Il a donné à la paroisse et au
village le nom de Saint-Camille. Quelques années
plus tard, on a appris qu'il existait un autre Saint-
Camille, dans les Cantons de l'Est, fondé en 1848.
Donc, ce Saint-Camille-là avait la priorité. Pour le
distinguer de l'autre, il a fallu rebaptiser notre village

Saint-Camille-de-Châteaubriand, du nom du comté où il était alors situé.

Il s'est écoulé quelques décennies sans histoires, jusqu'à une révision de la carte électorale qui a envoyé Saint-Camille-de-Châteaubriand dans la circonscription voisine. Camille Junior, fils aîné du précédent et maire du village, a alors organisé un référendum, qu'il a gagné les doigts dans le nez, et le village s'est désormais et apparemment pour toujours appelé Saint-Camille-de-Holstein, en hommage aux nombreux prix que les vaches de cette race obtenaient et obtiennent encore dans les foires agricoles pour les prospères éleveurs du village, dont Camille Junior n'était pas le moins important, dans son temps.

Quand l'autoroute a été construite, sans sortie pour Saint-Camille qui avait eu le malheur de voter en masse pour le Parti Québécois dont Camille Junior avait été le candidat malheureux aux élections les plus récentes, Camille Junior, toujours lui, a décidé qu'il fallait un monument visible depuis l'autoroute pour encourager les touristes à visiter le village et à y acheter de l'essence, de la bière, de la crème d'habitant et du fromage en crotte.

C'est ainsi que la municipalité a fait fabriquer une immense reproduction métallique de vache Holstein, qui a été érigée sur la colline entre le village et l'autoroute. La structure noire et blanche, haute de quinze mètres, a été déposée sur quatre poteaux hauts de quinze mètres eux aussi, pour que le sympathique ruminant semble flotter au-dessus de la forêt.

Personnellement, il me semblerait du plus mauvais goût de mourir en sautant d'un monument aussi ridicule, mais Colombe semble convaincue que les ados d'aujourd'hui pourraient trouver cela extrêmement romantique.

Elle a beau rouler rapidement, cela ne m'empêche pas de réfléchir. Parce qu'une coïncidence m'est venue à l'esprit. Et je ne suis pas sûr que ce soit une coïncidence.

Je me suis rappelé qu'il y a dans l'équipe de Jonathan un Provençal-Latendresse. Vous vous souvenez du nom du flic qui m'a à peu près rassuré en m'apprenant que je ne serai jamais soupçonné de meurtre parce que la police n'a aucune envie de trouver l'assassin de Don Moisan ?

Félicitations : vous avez une bonne mémoire. Il s'appelle Provençal. Et je ne serais pas du tout étonné que ce soit lui, l'assassin, finalement. Le jeune Provençal est sans doute très copain avec ses coéquipiers de la même ligne. (Ça aussi, je m'en souviens parfaitement — ligne 1 : K. Nguyen, Groleau, Latendresse-Provençal.) Est-ce qu'il est le fils du policier ?

Pas nécessairement : il y a une dizaine de Provençal à Saint-Zéphyrin, à commencer par le maire, qui a l'âge d'être le père de mon agent de police. Comment savoir ?

Rien de plus facile. J'ai à ma gauche une excellente source pour me renseigner. Colombe est à la tête du plus gros bureau de comptables de Saint-Zéphyrin. Elle prépare les déclarations de revenus de trois Zéphyrois sur quatre. Il y a là-dedans des tas de renseignements. Y compris le nombre d'enfants du contribuable. Et peut-être aussi leurs prénoms, sur des reçus de pharmacie, par exemple. À votre avis, je devrais la cuisiner un peu ?

Oui, que vous soyez d'accord ou non.

— Dis donc, Provençal, le policier, tu le connais bien ?

Je n'ai pas de réponse tout de suite. Mais Colombe relâche le pied de l'accélérateur. Je suppose qu'elle essaie de se rappeler lequel, parmi les flics habitant à Saint-Zéphyrin ou dans les environs, peut s'appeler Provençal. Mais je me trompe, parce qu'elle avoue, après une minute de réflexion :

— J'allais t'en parler bientôt. Aussi bien tout de suite. Stéphane et moi, on va emménager ensemble dans quelques semaines. Tu connais la vieille maison de pierre, sur le bord de la rivière, pas loin du pont ? On va l'acheter. Stéphane a un fils, du même âge que Jonathan. Tu le connais : ils sont sur la même ligne. Je suis sûre qu'ils vont bien s'entendre. Pour toi, ça changera rien, bien entendu. Tu auras toujours Jonathan une fin de semaine sur deux.

Cela dit, Colombe appuie sur l'accélérateur et se remet à rouler à cent dix dans une zone de quatre-vingts, comme le fait toute blonde de policier, assurée d'éviter les contraventions.

Ce salaud de Provençal ! Qu'il soit ou non assassin, je m'en fous, maintenant. Il est bien pire que ça : il me vole ma femme. C'est vrai que nous sommes sépa-rés et que les procédures de divorce sont entamées. Mais tant que le divorce n'est pas prononcé, Colombe est légalement ma femme, pas la sienne. En plus, ils vont habiter ensemble dans la plus belle maison des environs. Et moi, je vais rester dans mon trois pièces et quart, au-dessus d'un garage contaminé. Le pire, c'est qu'un jour Jonathan sera incapable de résister à la tentation d'appeler l'autre « papa », pour lui faire plaisir. Je parie aussi que Colombe et son mec vont faire installer une piscine creusée — quand on a deux ados à la maison avec des revenus de comptable agréé et de lieutenant de police, on est quasiment obligés d'en avoir une.

L'été, je ne verrai plus jamais Jonathan. Une piscine, ça attire les amis. Les filles, surtout. Pour me consoler, Colombe va m'inviter à venir m'y baigner moi aussi. Mais je ne serai pas capable de supporter la vision de Colombe se prélassant en bikini au bord de la piscine pendant que son nouveau mari fera cuire des steaks sur le barbecue. (Elle n'a pas dit qu'ils se marieraient, mais ça me semble inévitable puisqu'elle m'a rappelé la semaine dernière que je tardais à signer les papiers du divorce que j'ai égarés mais je finirai bien par les retrouver si j'en ai envie.) Et il fera exprès pour me carboniser le mien si je le demande saignant.

J'essaie d'oublier ces visions d'horreur pendant que Colombe, avec moi comme passager, roule pied au plancher vers la Vache, et traverse Saint-Camille sans quasiment ralentir, comme tous les automobilistes qui ne passent pas ici pour la première fois, qu'ils soient ou non copains ou conjoints d'un agent de police.

Nous voilà donc au début du sentier pédestre qui monte jusqu'à la Vache. Il y a là un petit parc embroussaillé, complètement désert en cette saison impropre aux pique-niques.

Je sors de la voiture d'autant plus rassuré que je n'aperçois pas les vélos des deux tourtereaux, si tourtereaux ils sont. Je m'apprête même à remonter dans la voiture, mais Colombe m'en empêche en actionnant le bouton de son porte-clés pour verrouiller les portières.

— Allons voir, ordonne-t-elle.

Si elle y tient. Nous faisons quelques pas et j'ai le malheur de jeter un coup d'œil derrière moi et d'apercevoir deux bicyclettes dissimulées dans des buissons pour les rendre invisibles des voleurs qui passeraient par là même s'il est évident qu'il n'en passe jamais.

Mon premier réflexe est de n'en rien dire à Colombe, mais je me dis qu'en revenant elle va les voir et me reprocher mon silence.

— Colombe…

Elle a quelques pas d'avance sur moi, se retourne et voit les vélos.

— C'est celui de Jonathan, je dis sans même pointer du doigt vers le jaune.

Elle l'avait reconnu et repart vers la colline en hâtant le pas. Je parviens tout juste à la suivre.

Bonne nouvelle : pas d'ados écrabouillés sous la Vache. Colombe s'arrête au pied de l'échelle, et regarde en haut. L'échelle a je ne sais combien d'échelons. Elle fait dans les vingt ou vingt-cinq mètres, depuis le sol jusqu'au ventre du ruminant.

— Ils doivent être en haut.

Je mets les mains en porte-voix, mais je n'ai pas le temps d'appeler Jonathan, que Colombe chuchote :

— Non. J'aime mieux que tu ailles voir.

Appeler Jonathan risquerait-il de le faire sauter en bas ? Pas une chance sur cent, si vous voulez mon avis. Mais même s'il n'y en avait qu'une sur mille, ce ne serait pas une chance à prendre.

Colombe a le vertige. Moi aussi, mais moins. C'est à moi de monter. D'autant plus que cela cadre parfaitement avec le nouveau rôle de héros que j'aimerais bien adopter. Surtout en présence de Colombe, maintenant que je dois faire concurrence au prototype ultime du héros : un policier qui combat les Devil's Own sans aucune possibilité de victoire, et c'est justement ça le comble de l'héroïsme.

Vissée à l'échelle, une affiche rouge en tôle rouillée interdit le passage sous peine d'amende. Mais elle n'a jamais arrêté personne et jamais personne n'a payé d'amende.

Je prends une profonde inspiration et je mets les mains sur l'échelon à la hauteur de ma poitrine. C'est une échelle en fer froid. J'aurais besoin de gants mais je n'en ai pas. Au moins, il ne fait pas froid au point de faire geler l'eau sur les barreaux encore trempés. Je monte en m'efforçant de ne regarder ni en haut ni en bas. Mais après une bonne douzaine d'échelons, je risque un coup d'œil à Colombe. Elle met un doigt sur sa bouche pour me rappeler de ne pas faire de bruit.

Me voilà à mi-hauteur, puis bientôt en haut. Je m'arrête un moment. Qu'est-ce que je fais ? Qu'est-ce que je dis ? « Bonjour, les jeunes. Vous avez pas l'intention de sauter, quand même ? » Pourquoi pas : « Dites donc, votre équipe, c'est les Zoos la nuit ou les Zidiots ? »

J'obéis à l'ordre de silence de Colombe. Une ouverture rectangulaire permet de pénétrer à l'intérieur de la Vache. Elle est bouchée par une plaque de métal amovible. Quand j'avais l'âge de Jonathan, j'y venais avec des copains. Jamais des filles, parce qu'elles disaient qu'elles avaient peur — probablement plus de se faire sauter que de tomber en bas. Sur les deux flancs de la Vache, il y a aussi de grands panneaux qu'on peut ouvrir pour admirer le paysage. Un jour, un touriste a échappé son petit chien et a poursuivi la municipalité. Le maire a fait ajouter l'affiche interdisant de grimper.

Je monte encore d'un échelon. Je colle une oreille contre la plaque. Pas de bruit. Ils ne sont pas là. J'en profite pour jeter un regard circulaire autour de moi. Ils ne sont pas non plus en bas, en tout cas pas où je peux voir.

Tiens, il y a du bruit à l'intérieur de la Vache. Des respirations, je dirais. Puis un dialogue que j'entends à peine :

— Tu regrettes rien ?

— Non. On pouvait pas faire autrement.

— Je sais. Tu m'aimes toujours ?

— Oh oui, je t'aime. Puis toi ?

— Je t'aime comme ça se peut pas.

Ces propos sont chuchotés et me parviennent à travers le ventre de tôle de la Vache. Je ne suis pas sûr de qui est qui. J'ai entendu Jonathan en premier, ou Kim ? Difficile à dire. Mais je sais que ce sont eux.

De toute façon, ce dialogue d'une affligeante banalité et qu'ils prononcent probablement cent fois par jour est suivi de grincements de métal qui ne trompent pas. Ils baisent. Mon Jonathan à moi, mon bébé de tout juste quatorze ans, en train de faire l'amour, alors qu'à cet âge-là je venais à peine de découvrir la masturbation ? On dirait bien. L'humanité s'accélère. Les jeunes de quatorze ans sont aujourd'hui plus déniaisés qu'on l'était à dix-sept, dans le temps. Et ils ne peuvent pas « faire autrement » que baiser, comme vient de le dire si bien Kim ou Jonathan, tellement ils sont bombardés de publicités, de films, de jeux vidéo sexuellement débridés.

Les grincements sont bientôt masqués à leur tour par des ahanements encore plus éloquents.

J'en bande presque, comme si j'écoutais un film porno sans regarder les images, ce qui est bien plus excitant, vous en conviendrez sûrement si vous en avez écouté quelques-uns. Je ne vais quand même pas pousser la plaque et dire « Coucou, c'est moi ! ».

Je décide plutôt de redescendre sans faire de bruit. Ils ont quatorze ans, ils ont le droit. La seule chose qui est interdite, c'est coucher avec beaucoup plus jeune que soi — il me semble que la loi dit cinq ans de différence si un des deux est mineur. Ils ont le même âge. Deux échelons plus bas, je me rappelle que Kim est enceinte de son instructeur. Encore trois échelons, et je prends conscience que ce n'est pas du tout de son instructeur — comme le pensaient les autres gars de l'équipe. Elle est enceinte de Jonathan ! À Don Moisan, elle disait « Je fais rien que sucer », comme à moi. Ce n'est pas comme ça qu'une fille tombe enceinte. Et je comprends aussi pourquoi elle a répondu oui au motel quand je lui ai demandé si c'était Jonathan. Elle ne me disait pas que c'était lui qui avait tué Don Moisan, mais que c'était lui le père de son bébé. Peut-être qu'elle a vomi dans les toilettes et qu'elle a pensé que je l'avais entendue ? Ou j'aurais pu voir qu'elle commençait à avoir un petit bedon sous son pyjama trop grand ?

Finalement, c'est une bonne nouvelle, ça, qu'elle soit enceinte de Jonathan plutôt que de Don Moisan.

Je continue ma descente, en dépit de Colombe qui me fait maintenant signe de remonter et d'ouvrir la plaque. Non, je ne vais pas les déranger.

D'échelon en échelon, je continue de réfléchir à mes nouvelles découvertes. Il faudra que Kim se fasse avorter. Même si ses parents ne veulent pas, je pense qu'elle a droit à une interruption volontaire de grossesse. Mais si c'est elle qui ne veut pas ?

Elle serait folle. À quatorze ans, ça détruit une vie, d'avoir un enfant. Quoique pas nécessairement. Surtout si je les aide. Je n'ai qu'une chambre, chez moi, mais je pourrais dormir sur le divan. Je trouverai un lit de bébé dans une vente de garage. Si elle veut garder son bébé — mon petit-fils, je viens de m'en rendre compte —, Kim devra peut-être manquer une année d'école. Mais dès que le bébé aura quelques mois, je pourrai le garder et elle reprendra ses études. D'autant plus que son père est vietnamien, et les Asiatiques ne laissent pas leurs enfants quitter l'école tant qu'ils n'ont pas un diplôme — de préférence un doctorat.

Mieux encore : je pourrais convaincre Colombe de laisser tomber son Stéphane et de nous laisser tous déménager chez elle. Surtout si elle achète la vieille maison au bord de la rivière Châteaubriand. Elle a sûrement les moyens de l'acquérir toute seule. C'est une maison immense. Si elle y tient, on fera chambre à part en attendant que je la convainque que je peux cesser de ronfler. Il paraît qu'il y a un nouvel appareil avec des tubes qu'on se met dans le nez pour la nuit et qui aide justement à ça.

L'important, c'est que les enfants se sentent appuyés par leurs parents. C'est ça qui pousse au suicide des ados dans leur situation : ils s'imaginent que le monde entier les laisse tomber. Ce ne sera probablement pas facile de convaincre Colombe. Je la connais, elle va insister pour l'avortement. Avec raison, d'ailleurs. Les parents de Kim aussi. Mais si Kim et Jonathan veulent garder leur bébé, c'est leur affaire, après tout, même s'ils ne peuvent pas y arriver sans aide. Justement, ils ont mon appui à moi, je dirais même mon soutien total, quelle que soit leur décision. D'autant plus que le Québec souffre d'une crise de dénatalité. Un avortement de plus, c'est un avortement de trop.

Je n'ai que quelques minutes pour convaincre Colombe de les appuyer elle aussi. Ils ne baiseront pas pendant des heures, quand même. Dès qu'ils redescendront de leur nid d'amour en tôle, il faudra qu'on soit prêts à leur dire qu'ils peuvent compter sur nous, quoi qu'il arrive.

Voilà, j'ai un premier pied sur la terre ferme. Puis un deuxième. Je me tourne vers Colombe, qui semble furieuse. Elle va l'être encore plus dans un petit moment.

— Ils sont là ?

— Oui.

— Qu'est-ce qu'ils font ?

J'essaie de détendre l'atmosphère avant de lui annoncer ce qui sera pour elle une mauvaise nouvelle :

— Ils font ce qu'on devrait faire nous aussi.

J'ai envie de me coller contre elle, mais il ne faut pas que j'aille trop vite. Si je m'y prends bien, sans rien brusquer, je serai dans le lit de Colombe ce soir. Ou dans quelques jours. Je mets mes mains sur ses épaules. Ça commence bien : elle ne me repousse pas et fronce les sourcils. Je murmure :

— Ils font l'amour.

Ça ne la fâche pas. Ça la soulage plutôt, on dirait. J'en profite pour ajouter :

— Elle est enceinte.

Miracle : pas de colère de la part de Colombe. Oui, des larmes perlent dans ses yeux. Mais elle sourit. Comme si ça lui faisait plaisir d'être grand-mère à trente-neuf ans. Elle dit :

— Si elle veut le garder, je vas l'aider.

— Moi aussi.

Elle ne me fait pas remarquer que mon « moi aussi » de chômeur ne veut pas dire grand-chose. Il faudra lui expliquer que je vais jouer à la gardienne d'enfant.

Je suis surtout parfaitement soulagé. Ce sera plus facile de soutenir Kim, Jonathan et leur bébé avec l'aide de Colombe qu'avec mon aide à moi tout seul. On s'installe chez elle, dans sa maison du Chinatown ou dans l'autre au bord de la rivière, et je m'occupe des tâches domestiques tant que Kim est à l'école. Je suis même prêt à faire le ménage et les repas. Une fois le bébé né et sevré, Kim retourne à la polyvalente et je veille sur lui. Ce n'est pas rien, ça. On a beau être fauché, on peut quand même être utile. Ce salaud de Provençal, ça lui apprendra à avoir un job à temps plein avec des tas d'heures supplémentaires.

J'ouvre les bras et Colombe pose sa tête contre mon épaule. Et moi, l'espoir me reprend. J'aurais envie de lui jurer fidélité. Mais ce n'est pas le moment. Elle ne me croirait pas et cela briserait le charme de ce moment dont je rêve depuis six mois.

Nous restons là debout l'un contre l'autre. Je lui tapote le dos. Un grincement nous fait tourner les yeux vers la grande vache là-haut. Nous ne voyons rien. Ce n'est pas la plaque, ni le panneau de notre côté. C'est celui qu'on ne voit pas, sûrement. Nos tourtereaux ont mis fin à leurs ébats et ils admirent le paysage. De l'autre côté, on ne peut pas voir le village, mais les Appalaches sont à l'horizon, au-delà de l'autoroute et c'est bien plus joli avec le feuillage de l'automne même s'il est aux trois quarts disparu.

Je regarde Colombe. Je ne sais pas trop quoi dire. Elle est émue et moi aussi. Pour moi, c'est plus rare et je n'ai pas trop l'habitude. J'ouvre la bouche pour lui dire « Je t'aime toujours, tu sais. » Mais je n'ai pas le temps de le dire, parce qu'elle hurle :

— Noooon !

Avant que j'aie eu le temps de me retourner entiè-
rement, j'entends un bruit mat et sourd. Un bruit que
je n'ai jamais entendu mais que je reconnais aussitôt
comme celui de deux corps qui s'écrasent sur le sol.

Colombe me repousse et court. Moi, avant de finir
de me retourner, j'essaie d'espérer que ce ne sont ni
Jonathan ni Kim. Je ne les ai pas vus, j'ai seulement
entendu leurs voix. J'ai pu me tromper. Si c'étaient
plutôt le petit Latendresse-Provençal et sa blonde, ce
serait parfait. Mais je n'y crois pas.

Il faut pourtant que j'aille voir. Mes pieds sont
lourds. Je les traîne jusqu'à ceux des deux corps nus
étendus dans l'herbe. Ils se tiennent encore par la
main. Jonathan est à plat ventre. Kim aussi, mais sa
tête est disloquée et tournée vers le ciel, les yeux
ouverts. Ils ont sauté la tête la première. Je suppose
que c'est la chose à faire quand on ne veut pas se rater.

Je prends la main de Colombe, elle la secoue pour
la dégager. Elle dit seulement ce que disent souvent
les femmes quand arrive une catastrophe :

— Je le savais.

Comment aurait-elle pu savoir ?

Moi, je ne savais rien. Je ne sais toujours rien. Je
ne sais même pas pourquoi il y a un Z au début du
nom de l'équipe que j'ai dirigée hier soir. Je me
demande surtout pourquoi Kim et Jonathan ont
décidé de mourir ensemble à quatorze ans.

Ils auraient tué Don Moisan ? Il avait beau être
gros et grand, Kim a pu attirer son attention pendant
que Jonathan lui tapait dessus par derrière. Ou bien
ce n'était pas prémédité du tout. Don Moisan voulait

les amener tous les deux chez lui. Il a essayé d'embrasser Kim ou de la peloter ou de la violer et Jonathan a trouvé une batte de baseball qui traînait par là...

Non, ça ne tient pas debout. Vous y avez peut-être pensé, vous aussi : quand Jonathan s'est enfui du motel avec moi, il m'a demandé pourquoi la police me courait après. S'il avait tué Moisan, il aurait été convaincu que c'était lui qu'on cherchait, pas moi. Il me semble que ça prouve qu'il était innocent.

Mais qu'est-ce que ça change, que ce soit lui ou Kim ou Colombe ou moi ? Ou le lieutenant-détective Provençal ? Un autre père, une mère ? Un groupe de parents révoltés ? Ou juste un ivrogne qui passait par là et qui a eu envie d'entendre le bruit que fait un crâne quand on tape assez fort dessus ?

Que je le sache ou non, ça ne fera pas ressusciter mon Jonathan.

Pourtant, il me semble que d'avoir conçu un enfant, ça aurait dû être bon pour le moral, surtout pour lui, qui n'avait pas à le porter dans son ventre. Peut-être que non, quand vous avez quatorze ans et une mère qui ne veut pas que vous couchiez avec votre blonde avant deux ans. Et aussi un père chômeur et irresponsable dont vous êtes sûr qu'il ne peut rien faire pour vous aider.

Est-ce que j'aurais pu empêcher la mort de Jonathan et de Kim ? Tout à l'heure, si j'avais soulevé le panneau et dit « Allez, ça suffit, les amoureux, venez-vous-en », est-ce qu'ils m'auraient suivi ou est-ce qu'ils m'auraient dit « Donne-nous deux minutes, on s'habille » pour sauter pendant que je les aurais attendus au pied de l'échelle ?

Je ne sais pas si je suis responsable un petit peu ou beaucoup ou pas du tout.

Je ne sais pas non plus si ma vie va changer, maintenant. Je ne sais pas si ça va arranger les choses avec Colombe, ou au contraire les empirer. Elle a besoin de moi plus que jamais. Elle va commencer par me repousser. Combien de temps ça va durer ? Pas trop longtemps, si je dénonce ce salaud de Provençal qui est probablement, plus j'y pense, l'assassin de ce salaud de Don Moisan. C'est bien connu : les salauds, ça se tue les uns les autres.

Mais ça aurait beau être lui pour vrai, il est flic et les flics ça se protège entre eux. Un autre policier jure devant un juge que l'accusé était à côté de lui dans une voiture de police la nuit du crime, et le tour est joué. Je préfère garder mes soupçons pour moi. Colombe ne me croirait pas, de toute façon : une femme amoureuse, ça ne peut pas imaginer que son amoureux est un assassin.

Moi, qu'est-ce qui va m'arriver, sans Colombe ni Jonathan ?

Je ne sais pas si je vais devenir alcoolique ou schizophrène, voyou ou sans abri dans un parc de Montréal. À moins que je monte dans la Vache pour y passer l'hiver. Je pourrais repousser l'échelle pour n'avoir plus qu'un moyen de descendre de mon abri. Mais je ne sais pas si j'en serais capable.

En fait, je ne sais rien de rien.

À part une chose que j'ai toujours sue. Et je le sais maintenant plus que jamais...

J'haïs le hockey !

Montréal, de septembre à décembre 2010.

Déjà parus

1- *ÉLISE*
Michel Vézina

2007   10,95 $ / 7 €   91 pages
978-2-923603-00-1   Science-fiction

Dans *Élise*, la conquête de l'espace est au centre de tous les espoirs. Élise et Jappy vivent en marge d'un monde qui a tué la dissidence. Élise a fait une connerie. Une grosse connerie. Jappy, amoureux fou, protecteur, capable de tout, risque sa vie pour elle et son salut. Il est même prêt à acquérir un statut social ! C'est tout dire…

2- *LA GIFLE*
Roxanne Bouchard

2007   10,95 $ / 7 €   106 pages
978-2-923603-01-8   Roman

Entre sa mère, sa petite amie, sa maîtresse et la mère de la jeune mariée, la joue du peintre François Levasseur se transforme en cible de choix pour une main vengeresse. *La gifle* constitue une leçon de vie exquise pour tous les giflés-nés, mais surtout un mode d'emploi incontournable pour les giflantes naturelles.

3- *L'ODYSSÉE DE L'EXTASE*
Sylvain Houde

2007   10,95 $ / 7 €   115 pages
978-2-923603-02-5   Roman noir

Un centre culturel underground de
Montréal est la cible d'un tueur en série.
Un enquêteur est chargé de l'affaire. Il
sera le premier surpris de se découvrir
une sexualité qu'il ne s'imaginait pas. Il
plongera corps et âme dans les profondeurs
de l'univers extatique qui s'ouvre à lui. Et il
comprendra que sa vie ne sera jamais plus
la même.

4- *LA VALSE DES BÂTARDS*
Alain Ulysse Tremblay

2007   10,95 $ / 7 €   108 pages
978-2-923603-03-2   Roman

Ils sont six. Ils sont jeunes, pour la plupart.
Six voix, un seul destin : l'abandon. Ils sont
tous les six en quête d'une vie et ils se
croisent, fatalement. Un roman chargé de
vérité, celle qu'on préfère ne pas regarder
en face, même si elle se joue là, directement
sous nos yeux, tous les jours…

5- *LES TERRITOIRES DU NORD-OUEST*
Laurent Chabin

2007   10,95 $ / 7 €   81 pages
978-2-923603-04-9   Roman

Avant, pour distraire les travailleurs, les
compagnies organisaient des combats entre
des hommes et des ours. Quand ils ont
commencé à manquer d'ours, ils ont pris
des chiens. Après, ils ont préféré inventer un
monde. Parallèle, virtuel, un monde où tout
le monde peut devenir tout le monde et se
battre contre n'importe qui.

6- *PRISON DE POUPÉES*
Edouard H. Bond

2008   10,95 $ / 7 €   122 pages
978-2-923603-05-6   Roman noir

Une pénétration à vif dans l'univers ensanglanté d'une prison pour femmes où les prisonnières tentent de survivre aux fantasmes d'une directrice et de sa meute, toutes plus animées les unes que les autres par le pire des instincts de sauvagerie. Un roman décapant, à ne pas mettre entre toutes les mains.

7- *JE HURLE À LA LUNE COMME UN CHIEN SAUVAGE*
Frédérick Durand

2008   10,95 $ / 7 €   88 pages
978-2-923603-06-3   Roman noir

Jacques Larivière, un prostitué mâle, se fait proposer un contrat qu'il ne peut refuser. Avec cinq collègues, il est invité à participer à une orgie organisée par des gens très importants. Protégés par une équipe de fiers-à-bras, les grosses légumes vivent leurs fantasmes, jusqu'à ce qu'un incident vienne compromettre le plaisir, et que la vie des invités ne soit soudain en danger…

8- *MARZI ET OUTCHJ*
Pascal Leclercq

2008   10,95 $ / 7 €   110 pages
978-2-923603-07-0   Polar

Le jour des funérailles de son mafieux de père, Marzi hérite d'un travail pour lequel il ne s'était jamais deviné de talent. Avec son fidèle ami Outchj, Marzi doit faire preuve de grande imagination pour éviter les pièges qui lui sont tendus. La galerie de personnages de Marzi et Outchj fait se rencontrer deux traditions très belges : le polar et la bédé.

9- *LA VIE D'ELVIS*
Alain Ulysse Tremblay

2008   10,95 $ / 7 €   102 pages
978-2-923603-08-7   Roman

Elvis est un petit gars de La Malbaie. Il a
tout fait, jusqu'à devenir fan de westerns
nocturnes avec son voisin Amérindien…
36 métiers, 36 misères ? Pas du tout ! Elvis
a eu une vie heureuse. Rien ne l'atteint.
Comme le canard, il est calme en surface,
mais pédale comme le maudit sous l'eau.

10- *KYRA*
Léo Lamarche

2008   10,95 $ / 7 €   72 pages
978-2-923603-09-4   Fantastique

Kyra est jeune. À peine pubère. Elle fuit
les armées du Propitator qui ont brûlé son
village, tué sa famille et emmené son père.
« Préférée » du Propitator, son ventre
éclate, elle saigne et se sauve encore.
Elle se réfugie chez les Viwes, avant
de rejoindre les Partisans, pour qui elle
deviendra « la solution ».

11- *SPERANZA*
Laurent Chabin

2008   10,95 $ / 7 €   90 pages
978-2-923603-10-0   Roman

Robinson n'est pas seul sur son île. Il
y traîne encore ses chaînes d'animal
social, dont seules la peur et la démence
parviendront à le libérer. Reprenant le mythe
de Robinson, Laurent Chabin place la
seule possibilité de survie dans le retour du
naufragé à l'état sauvage, dans l'absence
de tout désir de civilisation et dans la
puissance corrosive du rêve.

12- *CYCLONE*
Dynah Psyché

2008   10,95 $ / 7 €   118 pages
978-2-923603-11-7   Roman

Une tempête tropicale menace la
Martinique. Moïse, un père de famille,
disparaît en mer. C'est dans l'angoisse et le
désarroi que ses proches apprennent l'arrêt
des recherches. Moïse serait mort. Et, tandis
que s'approche la tempête, les masques
tombent, les passions s'exacerbent, les
haines se déchaînent, la tragédie se joue et
la mort fauche.

13- *MÉTAREVERS*
Serge Lamothe

2009   10,95 $ / 7 €   117 pages
978-2-923603-12-4   Polar

Comme chaque fois qu'il croit pouvoir
passer du bon temps et se détendre,
Bernard Coste, dit le Gros, se trouve mêlé
à une sale affaire. Mais que peuvent avoir
en commun la mafia corse, les univers
virtuels, le terrorisme, les transsexuelles et
le saucisson sec? À priori, rien. Jusqu'à ce
que le Gros se pointe…

14- *UN CHIEN DE MA CHIENNE*
Mandalian

2009   10,95 $ / 10 €   106 pages
978-2-923603-13-1   Polar

Il la voit : il la veut. Mené par le bout de
sa queue, il l'aura bien cherchée : de
Montréal à Sherbrooke en passant par la
forêt profonde, il y aura un vol, un accident,
une mort, des armes, de la poutine à la
Banquise, beaucoup de cash… et surtout,
du désir fulgurant.

15- *SYMPATHIE POUR LE DESTIN*
Alain Ulysse Tremblay

2009   10,95 $ / 7 €   142 pages
978-2-923603-14-8   Roman

Carl Hébert, peintre à succès, se lève un matin avec un pied horriblement enflé. À l'hôpital, tandis que la batterie de médecins n'arrive pas à trouver la raison de cette enflure, Carl en profite pour se lier d'une amitié indéfectible avec son voisin de chambre, un fumeur invétéré, comme lui, au prénom magnifique : Elvis.

16- *GINA*
Emcie Gee

2009   10,95 $ / 7 €   92 pages
978-2-923603-15-5   Roman noir

Hank est-il gangster ou tueur à gages ? Le Noctambule est-il le repaire qu'il semble être ? Le Balafré est-il mort ? Et Gina est-elle une simple pute dont Hank tombe amoureux en la découvrant entre les bras de tous les salauds du coin ? Est-elle la fille, oui ou non, du boss ? Mais de quel boss ?

17- *TOUJOURS VERT*
Jean-François Poupart

2009   10,95 $ / 10 €   109 pages
978-2-923603-16-2   Polar

En 2018, les icônes du rock qui n'ont pas encore succombé à leurs années de *sex, drugs and rock n'roll* sont des vieillards. Leur maison de retraite : Evergreen, une *gated community* du sud de la Floride, ultime rempart de l'éternelle jeunesse et du faux-semblant. Une brèche s'ouvre, le maquillage coule et nous révèle le plus sombre visage du rêve américain.

18- *SUR LES RIVES*
Michel Vézina

2009   14,95 $ / 10 €   139 pages
978-2-923603-17-9   Polar noir

D'abord un meurtre. Une femme. Retrouvée
sur une plage, déchiquetée. Près de
Rimouski. Puis un homme, assassiné de
plusieurs balles dans le bas du corps,
comme on dit au hockey. Et un meurtrier,
qui boucle la boucle avec une balle dans
la bouche. Mais encore, d'autres meurtres,
tous semblables, avant, après, pendant...
Une histoire impossible.

19- *MORLANTE*
Stéphane Dompierre

2009   14,95 $ / 10 €   154 pages
978-2-923603-18-6   Roman d'aventures

1701. Dans la cale d'un bateau anglais,
Morlante poursuit sa carrière d'écrivain.
Quand le bateau est la cible de pirates ou
d'une armée ennemie, il range sa plume,
sort ses machettes et rentre dans le tas. On
ne marque pas son époque en écrivant des
livres, mais en tranchant des gorges.

20- *MAUDITS!*
Edouard H. Bond

2009   14,95 $ / 10 €   141 pages
978-2-923603-24-7   Roman d'épouvante

Sergio est armé d'une machette, d'un
harpon et d'une haine profonde de
l'humanité. Ça tombe bien, une bande
d'ados en limousine croise son chemin en
s'en allant à l'après-bal. Ils sont saouls,
stones, gonflés de poutine et de désir.
Maudits!, c'est la légende du croque-
mitaine avec des *stock-shots* cruels volés à
la réalité. *Maudits!,* un roman qui sème la
terreur.

21- *LUNA PARK*
Laurent Chabin

2009   14,95 $ / 10 €   114 pages
978-2-923603-20-9   Roman

Élise et Jappy, les héros d'***Élise***, reviennent à la charge, mais cette fois-ci sous la plume corrosive de Laurent Chabin. ***Luna Park,*** c'est la voix d'une sorte de Big Brother enfermé devant ses caméras de surveillance. Quand Élise et Jappy débarquent avec leur fils, le narrateur pressent le pire. Et il a raison. ***Luna Park*** est un roman magnifiquement dystopique.

22- *MACADAM BLUES*
Léo Lamarche

2009   14,95 $ / 10 €   115 pages
978-2-923603-22-3   Roman noir

Tu entres dans un roman noir, un slam couleur cafard – un « macadam movie », si tu préfères. C'est l'histoire déglinguée d'un mec égaré dans Paname. Il n'a pas d'espoir, car l'espoir, c'est trop cher dans un monde où le fric et la dope mènent la ronde. Et il tente de survivre, happé par le courant, roulé vers les abysses où l'attendent ses démons.

23- *LE PROTOCOLE RESTON*
Mathieu Fortin

2009   14,95 $ / 10 €   124 pages
978-2-923603-23-0   Roman d'horreur

Un monstre est capturé en Asie. S'agit-il d'un mutant ou d'une créature dont on n'a encore jamais soupçonné l'existence ? Trois-Rivières est assiégée. Victor et Julien tentent d'échapper au fléau, mais les hommes et les femmes dont le monstre s'abreuve deviennent eux aussi des monstres assoiffés de sang.

24- *PARADIS, CLEF EN MAIN*
Nelly Arcan

2009   17,95 $ / 13 €   216 pages
978-2-923603-21-6   Roman

Une obscure compagnie organise le suicide de ses clients. Une seule condition leur est imposée : que leur désir de mourir soit incurable. Pur, absolu. Antoinette a été une candidate de *Paradis, Clef en main*. Elle n'en est pas morte. Désormais paraplégique, elle est branchée à une machine qui lui pompe ses substances organiques. Et Antoinette nous raconte sa vie.

25- *ZOÉLIE DU SAINT-ESPRIT*
Dynah Psyché

2010   14,95 $ / 10 €   116 pages
978-2-923603-25-4   Roman

Tout commence par le récit de ceux qui ne l'aiment pas et ont eu à subir les pires catastrophes. Sont-ils paranoïaques, ou Zoélie est-elle vraiment une sorcière ? Puis vient l'étrange litanie des ancêtres, longue lignée de « femmes debout » qui ont transmis la malédiction de génération en génération ; et celle des victimes, brisées, mutilées, vidées de leur sang.

26- *EN-D'SOUS*
Sunny Duval

2010   14,95 $ / 10 €   152 pages
978-2-923603-27-8   Roman

Sunny Duval joue de la guitare et aime les choses simples. Dans *En-d'sous*, il parle de rock, mais aussi d'une ville et de ses dessous, de ceux qu'on dirait qu'elle garde un peu secrets. Dans *En-d'sous*, il y a cette folie saine et ordinaire des gens aux sourires sublimes, il y a la richesse du temps et des désirs, le luxe de faire ce qu'on veut, quand on le veut.

27- *MARZI À MARZI*
Pascal Leclercq

2010　14,95 $ / 10 €　136 pages
978-2-923603-26-1　Polar

Marzi n'en peut plus. D'abord, il y a les affaires, toujours de plus en plus compliquées, toujours plus difficiles à gérer, et puis il y a les amours, toujours difficiles, toujours compliquées. Alors Marzi décide de de partir à la recherche de ses origines : direction Marzi, petit village du sud de l'Italie! Mais notre homme ne l'aura pas facile.

28- *LA PHALANGE DES AVALANCHES*
Benoît Bouthillette

2010　14,95 $ / 10 €　168 pages
978-2-923603-28-5　Science-fiction

Un nouvel épisode de *La série Élise*. À la fin de **Luna Park** (Laurent Chabin), Élise et Jappy ont mené à terme leur mission… Faut maintenant rentrer sur Terre. Mais Élise a d'autres projets pour Kassad, Lison et Jappy. Même si leur passage sur la Lune ne fera pas que des heureux, les jours qui suivent risquent d'être fertiles en émotions brutes.

29- *LE CORPS DE LA DENEUVE*
Maxime Catellier

2010　14,95 $ / 10 €　120 pages
978-2-923603-29-2　Roman

Le Corps de La Deneuve est une supercherie littéraire consistant à ébranler le lecteur jusque dans ses plus intimes convictions. On y rencontrera des personnages invraisemblables dont Renard d'Omble, Hansel von Krieg, Prince d'Alvéole, le Docteur, les Frères Collier, le Douanier et aussi une femme qui se promène dans Paris avec une hirondelle sur son sein droit.

30- *TOI ET MOI, IT'S COMPLICATED*
Dominic Bellavance

2010   14,95 $ / 10 €   128 pages
978-2-923603-37-7   Roman

Véronique est jalouse et Daniel ne sait
pas comment lui annoncer qu'«il casse».
Anne-Sophie fait des photos dans un party
d'étudiants, où Daniel était tellement saoul
qu'il se souvient à peine d'avoir frenché
avec Vickie, la grande chum de Sara qui,
elle, est amoureuse de Steeve, qui, lui, a eu
une aventure avec Anne-Sophie pendant le
même party, Anne-Sophie, qui, elle…

31- *BIG WILL*
Alain Ulysse Tremblay

2010   16,95 $ / 12 €   184 pages
978-2-923603-34-6   Roman

Big Will, c'est l'histoire d'un géant du Nord
hanté par ses morts : son oncle, son cousin
et sa mère, et puis Olsen et les pirates du
Sud, et puis tout un paquet d'autres qui
le poursuivent et dont les yeux de braises
illuminent ses nuits blanches.
Big Will raconte l'histoire d'une fugue trop
longue, l'histoire d'un homme et de ses
péchés, l'histoire d'un peuple et d'un pays…

32- *L'HUMAIN DE TROP*
Dominique Nantel

2010   14,95 $ / 10 €   104 pages
978-2-923603-30-8   Science-fiction

Fasciola n'a pas le droit d'exister. Un enfant
par famille, c'est tout. Sa mère, Sarah, a
caché sa fille jusqu'à ce que des voisines
jalouses menacent de la dénoncer. La
frêle Fasciola s'enfuit et se rend à Cité-
Sur-Mer, la ville flottante et houleuse où
les morts engraissent les poissons qui
eux engraissent les pélicans qui eux
engraissent…

33- *LE SERRURIER*
Mathieu Fortin

2010   14,95 $ / 11 €   136 pages
978-2-923603-73-5   Roman

Liés par les clés et les serrures du désir
et de l'amour, Vincent et Rachel, dans le
manoir Da Silva de Trois-Rivières en 2006,
ainsi que Fernando et Emilia, à la forge
Caprotti à Firenze en 1706, devront tenter
de contrôler leurs pulsions pour que leur
quête de sexe et d'amour ne les mène à
leur perte.

34- *LES CHEMINS DE MOINDRE RÉSISTANCE*
Guillaume Lebeau

2010   19,95 $ / 14,5 €   320 pages
978-2-923603-31-5   Roman

Il y a un écrivain qui veut garder secrète son
identité et qui ne tolère aucune intervention
de quiconque sur ses manuscrits… Il y a
ses éditeurs, prêts à tout pour vendre le
plus possible de ses livres… Il y a un enfant
atteint d'une variété rare de leucémie et qui
veut rencontrer son écrivain préféré.
Coûte que coûte.

35- *ZONES 5*
Michel Vézina

2010   17,95 $ / 13 €   228 pages
978-2-923603-33-9   Roman d'aventures

Michel Vézina replonge sa plume dans
l'encre de *La Série Élise*. Jappy, Élise et
leurs amis squattent toujours Blanc-Sablon.
Non seulement y mènent-ils leurs affaires
illicites, mais en se mettant en lien avec
d'autres villages squattés, ils créent autant
de Zones autonomes temporaires. Un
nouvel âge d'or de la piraterie est-il né ?

36- *OTCHI TCHORNYA*
Mikhaïl W. Ramseier

2010   24,95 $ / 16,5 €   550 pages
978-2-923603-87-2   Roman

Zénobe trouve une femme morte dans la
salle de bain de son logis parisien. Or cette
femme habitait clandestinement dans son
appartement. Il trouve ensuite une enfant,
la fille de la morte. Que faire de cette fillette
qui ne possède aucun papier français ?
S'engage alors un périple qui évoluera de la
France aux portes de la Sibérie, en passant
par Saint-Pétersbourg.

37- *COMMENT APPELER ET CHASSER L'ORIGNAL*
Sylvain Houde

2010   19,95 $ / 14,95 €   320 pages
978-2-923603-79-7   Polar

L'Organisation Révolutionnaire
d'Intervention Guerrière de Nuisance
Anticapitaliste Libertaire (l'ORIGNAL) fait
exploser des véhicules utilitaires sport dans
les parkings des centres commerciaux du
Québec. Simon Brisebois, journaliste chez
Polar Police, est assigné à l'affaire. Son
boss, le rédac-chef, veut du sang et de la
nouvelle qui pète.

38- *PARK EXTENSION*
Laurent Chabin

2010   16,95 $ / 12,50 €   176 pages
978-2-923603-75-9   Science-fiction

Shade, la narratrice, une tueuse
impitoyable, ne pourra que s'avouer
vaincue face à l'impossibilité de changer le
monde. La vengeance est peut-être un plat
qui se mange froid, mais il se mijote dans le
sang chaud, le sperme tiède et les larmes
brûlantes… Après *Élise, Luna Park, La
phalange des avalanches et Zones 5,
Park extension* est le numéro cinq
de *La série Élise*.

39- *CONTRE DIEU*
Patrick Senécal

2010   14,95 $ / 11 €   128 pages
978-2-923603-83-4   Suspense

Que se passe-t-il dans la tête d'un homme lorsqu'il perd, tout d'un coup, toutes ses raisons de vivre ? Quand tout ce qu'il a construit s'effondre ? Que se passe-t-il quand on ne comprend pas pourquoi le sort s'acharne sur nous ? Qu'est-ce qui nous retient, maintenant que tout est fini, qu'on n'a plus rien, de ne pas devenir monstrueux ?

40- *PANDÉMONIUM CITÉ*
David Bergeron

2011   14,95 $ / 11 €   144 pages
978-2-923603-93-3   Fantastique noir

Avec son ami Vlad, un rescapé de la guerre des Balkans, Philippe se retrouve au cœur d'une conspiration sataniste. Des chèvres seront sacrifiées et des hommes feront renaître d'anciens dieux disparus. Philippe et Vlad risqueront leur vie pour empêcher les conspirateurs de réaliser leur projet. Ils ne savent pas encore que c'est l'enfer qui les attend.

41- *LA GRANDE MORILLE*
Pascal Leclercq

2011   16,95 $ / 12,50 €   168 pages
978-2-923603-89-6   Polar

Après *Marzi et Outchj* et *Marzi à Marzi,* Pascal Leclercq nous propose un nouvelle épisode des aventures de Marzi. *La grande morille,* une aventure abracadabrante où sexe, drogues, meurtres, poursuites et magouilles monumentales s'enchainent à un rythme désopilant. *La grande morille,* une grande chasse au champignongnons !

42- *L'OGRESSE*
Dynah Psyché

2011   14,95 $ / 11 €   132 pages
978-2-923603-95-7   Roman

« La tuerie m'ennuie, quand il y a du jus.
Ça crie et ça salit. Il y en a partout, quand
le manger se débat… » L'ogresse unit dans
une même chair tous les instincts primaires,
ceux des commencements et ceux de la fin.
« L'ogritude totale dans une sexualité non
moins totale ! ».

43- *LES PORTES DE L'OMBRE*
Gilles Vidal

2011   17,95 $ / 13 €   280 pages
978-2-923603-97-1   Thriller

Suicides radicaux et spectaculaires, morts
accidentelles inconcevables, Chanelet
l'océane se trouve percutée de plein fouet
par une étrange « épidémie » qui frappe
ceux dont l'âme est noire, ceux qui sont
dépourvus de la moindre trace de charité,
ceux dont les penchants sont les plus
tordus.

44- *LES JARDINS NAISSENT*
Jean-Euphèle Milcé

2011   14,95 $ / 11 €   136 pages
978-2-89671-006-5   Roman

Nous sommes à Port-au-Prince. Après
le *Goudougoudou* du 12 janvier 2010,
Daniel, un Haïtien, repère Marianne, une
jeune Française au service de la Croix-
Rouge. Il l'invite dans le bas de la ville
pour lui montrer que, parmi les décombres,
la population s'organise. Le projet :
l'ensemencement des terrains déblayés, là
où personne ne reconstruit encore.